LA PENSÉE POSITIVE

Données de catalogage avant publication (Canada)

Peale, Norman Vincent, 1898-

La pensée positive

(Collection Motivation et épanouissement personnel)
Traduction de: Positive thinking for a time like this.

ISBN 2-920000-86-1

1. Morale pratique. 2. Optimisme. I. Titre. II. Collection

BJ1581.2.P414 1994 158 C83-006995-X

Cet ouvrage a été publié en langue anglaise sous le titre original:
POSITIVE THINKING FOR A TIME LIKE THIS
par Prentice-Hall, Inc., Englewood Cliffs, New Jersey, U.S.A.

Dépôts légaux: 1er trimestre 1983
Bibliothèque nationale du Québec
Bibliothèque nationale du Canada

Treizième édition, 1997

Conception graphique de la couverture:
MICHEL BÉRARD

Version française:
LAURENT BRAULT

ISBN 2-920000-86-1

Norman Vincent Peale

LA PENSÉE POSITIVE

Les éditions Un monde différent ltée
3925 Grande-Allée
Saint-Hubert (Québec) Canada
J4T 2V8
(514) 656-2660

Aux amis et supporters de la
Foundation for Christian Living,
Pawling, New York,
avec appréciation.

Table des matières

À TOI, AMI LECTEUR

Voici mes réflexions sur l'art d'avoir une pensée positive à une époque comme la nôtre.

Si vous voulez vivre aujourd'hui débordant de confiance et d'optimisme, voici un livre pour vous.

Quand vous possédez ce qu'il faut pour découvrir les aspects créateurs des choses face aux épreuves parfois pénibles de l'existence humaine et que vous continuez toujours de croire à une heureuse issue des événements, vous êtes un optimiste coriace, un véritable penseur positif. Et c'est à un tel sommet que chacun est appelé.

Nous n'entendons pas donner au terme «coriace» le sens de crâneur, de fanfaron ou de voyou. Voici la définition assez exhaustive telle que formulée par le dictionnaire Webster: c'est un chef-d'oeuvre du genre.

> Coriace: qui a la qualité d'avoir une texture solide, ferme mais flexible sans être cassante; qui plie sous la force sans se briser et est capable d'y résister sans se disloquer.

Pouvoir résister aux pressions sans céder, posséder le substratum d'une personnalité énergique, voilà ce que signifie le mot coriace dans son sens le plus noble.

Cependant, atteindre cette voie dépend presque totalement de la qualité de la pensée, faible ou forte, timorée ou audacieuse, hésitante ou résolue, négative ou positive. Ajoutez de la détermination à votre attitude mentale et vous êtes en face d'un mélange spécial, voire très spécial. Quand vous avez cet esprit «déterminé» tel que défini, vous pouvez supporter la tension et vos pensées ne manquent pas de cohésion. Et ceci est de la plus grande importance, car si soudainement il y a faille dans vos pensées, vous céderez certainement sous la contrainte.

Cependant, souffrir avec patience et tenir le coup ne suffisent pas. Le psychiatre qui affirmait que «le principal devoir de l'homme était de supporter la vie avec patience» ne disait qu'une demi-vérité et c'était la facette la plus pauvre de cette vérité. L'autre facette, la plus importante de l'histoire de la vie, c'est d'attaquer, de vaincre, de remporter la victoire et d'aller de l'avant. Ainsi donc, à l'expression «déterminé» nous joignons l'exultante expression d'«optimiste». Voici encore un mot qui a acquis à l'usage une connotation inadéquate, car il ne peut s'agir d'excès de confiance ou d'espérance déraisonnée de la chance. Il s'agit plutôt de se rendre compte avec un parfait réalisme des plus petits côtés des choses, mais d'avoir toujours confiance dans leurs aspects positifs. De nouveau, voici selon Webster *la définition de l'optimisme*:

> Optimisme: doctrine selon laquelle les bonnes choses de la vie équilibrent avec avantage les aspects fâcheux inhérents, doctrine selon laquelle dans l'ensemble la vie est belle. C'est la tournure qui consiste à tabler davantage sur les bons côtés des choses, des événements d'aujourd'hui et de demain, à minimiser leurs aspects négatifs et à en anticiper les meilleurs résultats possibles; c'est le propre d'un tempérament joyeux et plein d'espérance.

Un «optimiste à toute épreuve», un penseur positif, c'est quelqu'un qui ne faiblit pas quels que soient les stress, c'est quelqu'un qui est rempli de joie et continue d'espérer le bien malgré les apparences. Madame Alan Sheppard, épouse du premier astronaute américain, exprime peut-être très bien cette philosophie positive quand elle décrit son attitude envers son mari lors de son envolée comme pionnier de l'espace. «Je crois à la puissance du bien et à celle de Dieu. J'ai ressenti de la bonté tout autour de moi et je savais qu'Alan était vraiment à sa place et qu'il était entre les mains de Dieu. J'ai bien dormi.»

Voici encore une autre illustration d'une pensée positive au sein des difficultés que nous donne Alan Moorehead dans *The White Nile*, son livre fascinant sur l'Afrique. Il y décrit David Livingstone, fameux explorateur et missionnaire, et il le caractérise de façon inoubliable. «Il avait cette qualité que les Arabes décrivent sous le nom de *baraka*. Dans les circonstances les plus invraisemblables, il avait le pouvoir de mettre la vie en valeur et de la faire voir plus belle qu'auparavant. Sa seule présence semble avoir conféré une bénédiction sur tous ceux qui le rencontraient.»

Énumérez les misères de la vie: maladie, douleur, crainte, haine, préjudices, guerre, troubles d'argent, etc., etc. Il y a une personne qui possède ce qu'il faut et qui, avec l'aide de Dieu, est à la hauteur de toutes ou de chacune de ces situations, c'est l'optimiste à toute épreuve qui fait toujours montre de pensée positive à une époque comme la nôtre.

Norman Vincent Peale

Ayez ce qu'il faut pour supporter la vie

Voyons les choses en face. Pour vivre dans le monde d'aujourd'hui, il vous faut absolument être fort. Sans la force, vous serez broyé ou pour le moins mis hors de service. Si cela paraît un peu sévère, faites la liste de tout ce qui peut arriver aux gens: souffrances, maladies, frustrations, accidents, désappointements, pertes d'emploi, échecs, duplicité, etc.

Une chose que chacun doit apprendre, c'est comment posséder ce qu'il faut pour supporter la vie et, mieux encore, pour la vaincre. Si vous n'avez pas encore eu à supporter la vie, éventuellement la chose se produira. Il arrivera que quelque chose vous fasse mal et à moins d'avoir développé une résistance intérieure, vous serez ébranlé. Jetons donc un coup d'oeil sur les sources de cette force dont vous et moi avons besoin.

Nous devons d'abord développer en nous-même une vraie carapace intérieure. La carapace intérieure, la détermination est une qualité de toute première importance. Il y a vraiment deux catégories de gens en ce monde, les indécis et les résolus. Les indécis ne peuvent pas supporter les troubles de la vie. Prenons la critique, par exemple. Elle les atteint au plus profond d'eux-mêmes. Ses coups font mal et ses blessures sont terribles. Les problèmes et les obstacles les plongent dans la consternation. L'adversité et l'opposition les accablent. Pauvres misérables esprits indécis.

Mais il y a aussi les esprits résolus. Ils n'aiment pas plus la critique que d'autres, mais ils savent comment l'accueillir et comment s'y prendre. Avec soin, ils en extraient les vérités qu'elle contient et, tout simplement, ils séparent le bon grain de l'ivraie.

Les problèmes et les obstacles sont pour eux autant de défis à relever et ils ne sont aucunement ébranlés par l'adversité et l'opposition. Voilà vraiment des gens que l'on peut classer parmi les esprits résolus; ils sont impressionnants et source d'inspiration. Une force les a fait croître par l'intérieur. Ils ont ce qu'il faut. Si la nécessité l'exige, ils peuvent penser de façon positive aux heures les plus sombres.

Jetez un profond regard sur votre personnalité et vous découvrirez cette détermination que le Créateur a déposée en vous. Il savait très bien ce à quoi vous auriez à faire face dans cette vie et il vous a rendu capable de faire face à la vie, à toute la vie. En fait, vous êtes plus déterminé que vous ne le croyez. Si vous avez privé d'exercices vos «muscles» spirituels, ils croissent mais demeurent flasques comme tout muscle inactif. Au fur et à mesure qu'avec l'usage vous réactivez votre activité mentale et votre détermination spirituelle, vos muscles vont se développer et devenir plus forts.

Frank Leahy, autrefois entraîneur et fondateur d'équipes d'étoiles de football à Notre Dame avait placé une inscription en lettres gigantesques sur le mur du vestiaire. C'était la dernière chose que voyaient les joueurs en courant vers le terrain de football: «Quand la vie se fait dure, soyez durs avec la vie.» Écrivez cette pensée en lettres capitales dans votre conscience et la détermination intérieure va en réalité se mettre en branle et continuer d'agir quand les circonstances deviendront difficiles.

Pourquoi avons-nous des problèmes?

Il se pourrait que le monde ait été ainsi fait, rempli de problèmes et de difficultés, pour faire ressortir cette qualité de force chez les êtres humains. Qu'est-ce que le Dieu Tout-Puissant tente de faire avec nous? Il doit avoir un but, sinon c'est une farce grossière, sinistre et pas si drôle que ça. Je me demande si son but n'est pas de rendre les gens forts, maîtres d'eux-mêmes, capables de vivre sur terre de telle sorte qu'ils méritent la vie éternelle. Si tel n'est pas le but, pourquoi alors nous a-t-il créés à sa propre image? Ce fut certainement fait dans l'espoir qu'en fin de compte nous puissions être semblables à Lui par la bonté, par l'amour qui sont synonymes de force, de vraie force.

Une manière de cultiver votre possibilité de résistance intérieure, c'est d'apprendre à avoir une pensée positive dans toutes les circonstances; c'est simplement d'avoir de vous-même une image mentale d'homme résolu, possesseur d'une force intérieure. Habituez-vous à vous considérer non comme un faible, un débile, un irrésolu, mais comme quelqu'un de fort, sûr de lui, qui sait ce qu'il veut. Essayez tout simplement de devenir conforme à ce portrait que vous vous faites de vous-même.

Pour vous aider à vous voir conforme à ce modèle mental fort, je recommande l'emploi quotidien de l'affirmation suivante: «Dieu m'a bâti fort. Je me considère tel que je suis vraiment, un être fort. Avec l'aide de Dieu, je ne suis pas faible, je suis fort, j'ai ce qu'il faut pour supporter la vie. Merci, mon Dieu, pour ma force.» Continuez de répéter ces phrases, continuez de les garder dans votre esprit, continuez d'y croire. Continuez de les mettre en pratique aussi et, au bon moment, votre conscience acceptera cette affirmation comme un fait. Une fois profondément ancrée dans votre subconscient, la force deviendra votre caractéristique personnelle déterminante. Car vous êtes ce que votre subconscient croit que vous êtes.

Une femme ordinaire, d'âge moyen, vint me consulter au sujet d'un problème familial. Son mari était demeuré dans l'antichambre parce qu'elle voulait me parler seul à seul.

«Notre garçon de dix-sept ans a été arrêté pour vol d'automobile, expliqua-t-elle, et il est mêlé à d'autres choses aussi. Je connais tous les faits, mais mon mari en ce moment ne les connaît pas encore. J'appréhende qu'il les apprenne. Vous savez, il n'est pas capable de supporter ce genre de choses aussi bien que moi, il me faut donc prendre la situation en main. Je veux que vous m'aidiez à remonter mon mari pour que ce choc ne l'écrase pas.»

Je n'ai pas pu m'empêcher d'admirer cette femme énergique. Peut-être avait-elle trop dorloté son mari, peut-être à cause de son profond instinct maternel l'avait-elle considéré comme un grand enfant à satisfaire. Mais elle possédait assurément ce qu'il fallait pour faire face à ce problème familial cruellement décevant. Dans mon admiration, je lui demandai: «Où avez-vous puisé cette force? Vous êtes vraiment quelqu'un.»

«Bien, dit-elle, nous sommes de pauvres gens. Il nous a fallu lutter, nous serrer la ceinture. Il semble que tout fut toujours obtenu à coups de grands efforts. Nous avons ainsi cheminé dans la vie sans jamais obtenir beaucoup et c'est dans ce genre de milieu familial que j'ai reçu mon éducation de jeune fille.» Son récit, simple, sans apparence de plainte ou d'amertume, m'impressionna. Elle continua: «Bientôt, j'ai remarqué que Jack (son mari) était un très joli garçon, mais sans beaucoup de talent ou d'ambition. Il m'a donc fallu prendre la famille en charge. Il m'a fallu être forte et c'est l'aide de Dieu qui m'a rendue forte. J'ai simplement pris la résolution d'être forte et, voilà, c'est tout.»

Bien, c'est peut-être tout, mais croyez-moi, il ne manque rien. Elle était vraiment une personne positive, sa pensée et sa foi étaient positives. Tenez ceci comme certain: la vraie force est en vous, que vous le croyiez ou non. Bien plus, vous avez en vous toute la force dont vous pourriez avoir besoin un jour pour résoudre n'importe quel problème.

Une fois ce concept de force inhérente puissamment établi dans vos schèmes de pensée, vous serez capable de faire face à n'importe quelle situation sans qu'elle vous écrase, quels qu'en soient les difficultés ou les risques. Et quand vous serez profondément convaincu que vraiment vous avez ce qu'il faut pour supporter la vie, vous ne serez pas aussi nerveux, tendu, craintif lors de problèmes difficiles. Dans le calme, la confiance, vous serez sûr de vos talents et vous douterez beaucoup moins de vos capacités de faire face aux situations problématiques.

La force pour vaincre la défaite

J'ai vu cette force se développer chez beaucoup de gens victimes de défaitisme, je sais donc ce qui peut être réalisé grâce à notre méthode positive de bâtir de la force. Prenez ce cas difficile, par exemple.

Ce matin-là, j'étais entré tôt dans le café-restaurant de l'hôtel d'une grande ville. Jetant un regard autour de moi, je vis un homme seul assis à une table dans un coin de la salle, la tête entre les deux mains, les coudes appuyés sur la table. Il me donnait une impression d'anxiété, de lassitude et il me vint à la pensée que peut-être il priait. J'avais commandé mon petit déjeuner et, absorbé dans la lecture du journal du matin, je ne pensais plus à cet individu.

J'entendis bientôt prononcer mon nom et levant la tête, je vis le même homme debout devant moi et me regardant avec étonnement.

«Que je sois damné!» s'écria-t-il.

«Comment cela? demandai-je. Pourquoi demandez-vous à être damné?»

Se laissant tomber sur une chaise voisine de la mienne, il dit: «Après tout, c'est peut-être vrai que les prières sont exaucées. Je passe actuellement à travers toute une épreuve; j'étais assis là-bas, ingurgitant mon petit déjeuner, et je me sentais complètement déprimé. Alors la pensée de la prière surgit dans mon esprit. Il m'arrive parfois de prier, vous savez. Je disais donc: "Seigneur, je T'en prie, aide-moi. Je T'en prie, envoie-moi de l'aide et fais ça vite." Levant alors les yeux, je vous vis. Je ne sais pas ce qui vous a amené ici, mais je sais une chose, vous êtes la réponse à ma prière inusitée.»

«Eh bien, lui dis-je, je crois sans aucun doute que Dieu nous guide et si Dieu veut se servir de moi pour vous aider, j'en serai réellement heureux. Mais je vous en prie, ne pensez pas que je suis un thaumaturge.» Je consentis à le rencontrer plus tard ce jour-là pour connaître à fond son problème et voir ce que nous pourrions faire pour l'aider.

Cet après-midi-là, à dix-sept heures, lors de notre rencontre, il me lança d'un ton déchaîné: «Je ne peux supporter tout ce qui m'arrive, c'en est trop. Je me sens sur le point d'exploser, j'ai besoin d'en finir soudainement. Je n'ai pas le courage d'affronter le mauvais sort, voilà tout. Cette contrainte m'étouffe. Ça ne vaut pas la peine de vivre, non, ça n'en vaut simplement pas la peine.» Il tomba comme une masse dans un fauteuil, lança avec raideur l'annuaire téléphonique sur le mur et, avec véhémence, envoya tout au diable.

«Continuez, lui dis-je, videz votre sac; je vais envoyer chercher d'autres annuaires téléphoniques pour lancer sur ce mur si vous aimez cela.»

Il esquissa un sourire et se calma quelque peu, mais il était évident que le pauvre homme était au paroxysme de la lutte intérieure et de la nervosité. À la fin, il apparut clairement que chez lui la frustration était à son comble. «Vous voyez, continua-t-il, toute ma vie j'ai eu cette suprême ambition de réussir rapidement, d'être chef. Où cela m'a-t-il conduit? J'ai sans doute fait de l'argent, mais pour parler comme les curés, j'ai perdu mon âme. Oui, c'est cela, c'est exactement cela, j'ai perdu mon âme.

«J'étais un pauvre garçon, sorti d'un milieu très humble. J'observais ces banquiers prétentieux, ces avocats, ces marchands au volant de leurs grosses voitures, flânant au club sportif. Je les haïssais, et, croyez-le ou non, je les hais encore ces sales bêtes. Mais cependant, je voulais me joindre à eux, posséder ce qu'ils avaient, des automobiles, des clubs sportifs et autres choses semblables. Je voulais vraiment être un gros bonnet, crapuleux, hypocrite, gros bonnet comme eux, un escroc. Et j'en suis arrivé à faire les choses répugnantes de quelques-uns d'entre eux. J'ai ai plein mon saoul. J'en ai marre de tout ce tripotage.»

Il vide son sac

Ce fut toute une histoire qu'il déversa à flots, et déverser à flots est l'expression juste. Je plaçai mes pieds sur le rebord de la fenêtre et prêtai l'oreille. J'entendis toute la vérité sur certains aspects de la vie des faubourgs racontés dans un style qui dépassait de beaucoup les habiles descriptions de nos piètres romanciers. Ceux-ci n'étaient tout simplement pas à la hauteur de cet individu, représentant de la classe de ceux qui inspirent du dégoût.

«Mon ami, vous auriez dû faire un écrivain. C'est sans aucun doute que je vous dis que vous pourriez manier une plume acerbe.»

Sans m'en rendre compte, j'adoptais son propre style, plein de verve. Il était évident qu'au-delà du chagrin qui l'accablait, cet homme cachait quelque chose. Son âme était vraiment à nu. C'est un phénomène toujours impressionnant. Quand vous avez affaire à un dur de la sorte, vous ne lui servez pas de réponses doucereuses, à l'eau de rose. Vous êtes en face d'une honnêteté, d'une droiture qu'il faut égaler en qualité. J'aurais pu lui recommander de voir un conseiller. Il aurait pu, de fait, en recevoir une thérapie; plus tard, je l'ai dirigé vers un tel spécialiste. Mais pour le moment, il avait besoin d'un remède salutaire, non compliqué, un remède suffisamment drastique pour couper dans le vif de cette masse de pourriture dont son coeur était rempli. Ainsi donc, pour reprendre ses paroles je lui ai servi «de la nourriture spirituelle».

Nous eûmes, en outre, la preuve que ce qui semblait être pure coïncidence n'était que la main de Dieu à l'oeuvre dans ce cas. En effet, on entendit tout à coup à travers la fenêtre ouverte les airs des cantiques que les cloches carillonnaient et, dans la nuit tombante, se dessina dans le ciel obscure une gigantesque croix lumineuse. Tous deux, nous étions assis comme dans un état de ravissement devant elle.

Je pointai la croix de l'église sise au sommet d'un édifice à bureaux, vingt-cinq étages plus haut que la rue. «Cette croix est au coeur de votre problème, en fait, au coeur de tous nos problèmes. Un jour, le Sauveur est mort sur elle pour nous apprendre que Dieu prend soin de nous, qu'il nous aime. Je ne prétends pas comprendre ce qui arrive, mais j'ai constaté que lorsque des gens comme vous et moi regardent cette croix et l'Homme qui y est mort, quand nous croyons qu'Il est mort pour nous, quand nous L'implorons avec humilité, quand nous demandons et voulons être sauvés, nous sommes exaucés.» J'étudiais soigneusement mon homme que je savais n'avoir jamais rien entendu de pareil auparavant; en effet, il m'avait dit que lorsqu'il était allé à l'église, il s'agissait d'un très beau temple, d'un type d'église fréquenté par des gens hautement sophistiqués. Cette religion austère, conçue pour adulte, c'était du nouveau pour lui, mais il était évident qu'elle commençait à produire son effet chez lui.

«Seul Jésus-Christ peut extirper de votre coeur toute la haine, toutes les fraudes d'argent, toutes les folies sexuelles, tous les abus d'alcool de même que votre dégoût de la vie. Et Il le peut si vous voulez tout lui avouer et le lui demander. Agenouillez-vous donc près de la fenêtre et, regardant la croix, dites au Seigneur que vous lui demandez pardon pour toute cette pourriture qui est en vous.» C'était la manière forte, je dois l'admettre et je ne prendrais pas cette façon de procéder si ce n'est avec certaines gens. Ce type était un homme au sens plein, fort physiquement et c'est un traitement d'homme qui lui fut servi.

Je l'avais bien jugé car il acquiesça à ma suggestion. De fait, il ne ménagea rien pour s'y conformer, ce qui explique sans doute sa réussite. Il s'agenouilla et pria de la manière suivante (naturellement, je n'ai pas noté sa prière textuellement, mais l'impression qu'il créa sur moi fut si forte que les lignes qui vont suivre sont à peu près le mot à mot de ce qui fut toute une prière):

«Seigneur, je suis une vermine, Vous le saviez avant que je Vous le dise. Je suis un clochard sans importance et si je commençais à énumérer toutes les saletés que j'ai commises, Vous n'auriez pas le temps d'écouter quelqu'un d'autre et Vous êtes très occupé. De toute façon, Vous savez tout sur mon compte, comment pourrais-je Vous jouer?

«Mais, croyez-moi, Seigneur, je ne veux pas me jouer de Vous. J'en ai marre de mes actes, de mes pensées, de ma vie de pouilleux. Je ne veux plus continuer cette vie. Et c'est aussi la vérité, Seigneur, qu'au moment où je vous parle, je dois admettre que je ne regrette pas tout; je Vous en prie, Seigneur, ne me laissez pas devenir un hypocrite. Aidez-moi à tout vous dire, comme le demande le docteur Peale.

«Je ne peux rien faire à mon sujet, je m'en remets donc complètement à Vous. Que votre sang qui a coulé de la croix se répande sur moi maintenant. Il ne me reste plus qu'à être changé.»

Je n'ai jamais entendu une prière semblable à celle de cet homme au moment de changer de vie. Il parlait au Seigneur aussi franchement que lorsqu'il l'avait fait avec moi.

Les cinq éléments constitutifs du changement

Dans le procédé qui a opéré en lui ce travail de régénération, on peut distinguer cinq éléments constitutifs: 1) Il était écoeuré de lui-même. 2) Il voulait changer et il le voulait vraiment. 3) Il n'a pas ressassé ses interrogations, ses doutes religieux, il a tout simplement cru. 4) Sa religion sortait en ligne directe de la Bible et ceci malgré l'éducation reçue de l'Yvy League et de celle d'une église prétentieuse et dépassée qui prodiguait un enseignement à l'eau de rose. 5) Il y alla de toute son âme et c'est ainsi qu'il réussit. Il ressentit au moment même les premiers effets du changement bien qu'il eût encore un long chemin à parcourir. «Dieu merci, je me sens mieux», dit-il en se relevant.

«Vous devez avoir ressenti déjà les effets de la grâce, lui dis-je, car il y a une demi-heure, vous ne disiez pas *Dieu merci.*»

«C'est étrange, continua-t-il, mais ce sentiment de refoulement est presque disparu. Je me sens vraiment en paix et en quelque sorte heureux.» Sa figure avait un rayonnement qui m'impressionna. Dieu l'avait-il touché? C'était la seule explication possible. Évidemment, cette unique conversation ne l'avait pas fait passer du pire au meilleur. Tout un travail spirituel restait à faire chez lui, mais le virage était amorcé et même ce premier pas avait apporté soulagement et changement.

Par la suite, cet homme fut capable de travailler avec des forces fraîches et une vitalité nouvelle. Et pourquoi pas? Tous les états d'âme insalubres qui hier siphonnaient ses forces étaient vaincus graduellement. Son cerveau travaillait mieux et comme il me le faisait remarquer lors d'une rencontre quelques mois plus tard: «Il y a eu tellement d'idées nouvelles qui ont surgi en moi que je ne peux en suivre le rythme.»

Pendant un certain temps, j'observai le développement de la force de cet homme. Ce fut une renaissance spirituelle, mentale et physique. Il a dû expérimenter une nouvelle naissance, car de fait il était né à un monde nouveau. Sa nouvelle vie le rendait fort. Maintenant les événements ne l'abattaient pas comme cela avait été le cas auparavant lors de notre rencontre matinale au café-restaurant de l'hôtel. Maintenant il a vraiment ce qu'il faut pour faire face à la vie. Et il fait si bien face à la vie que ses affaires personnelles progressent. Une vie nouvelle apparut en cet homme lorsque sa personnalité s'orienta vers ce noyau religieux fraîchement découvert. Grâce à cet événement, il est devenu un individu fort, capable désormais de se prendre en main, lui et ses problèmes.

Être vraiment fort et posséder ce qu'il faut pour faire face à la vie, c'est ordinairement matière de culture de votre personnalité dans ses profondeurs spirituelles. Cette rénovation dramatique et extrême que je viens de relater ne s'impose pas chez la plupart des gens. Au départ, ils ont simplement besoin de croire qu'ils sont capables. Et ils sont capables aussi, s'ils persévèrent dans cette croyance. Si la vie est extrêmement dure pour vous, il vaudrait mieux avoir une rencontre vraie et honnête avec vous-même et vous interroger uniquement sur l'origine du trouble. C'est peut-être vous qui vous vous rendez la vie dure. On a tendance à blâmer les autres, les conditions sociales ou des forces incontrôlables. Mais ce qui est absolument vrai, c'est que votre problème n'est pas hors de votre contrôle: la solution est en vous. Emerson disait: «C'est toujours dans le coeur de l'homme qu'on trouve la raison de ses succès comme de ses déboires.» Méditez cela avec soin. C'est précisément ce que nous voulons dire quand nous parlons de l'importance d'une pensée positive dans un monde comme le nôtre.

En dernière analyse, il faut rechercher les indicatifs qui ont causé l'échec parmi les éléments d'échec au sein même de la personnalité, éléments qu'on a laissé devenir maîtres des schèmes de pensée. Ces éléments d'échec conspirent à créer au plus profond de l'être une croyance enracinée et inconsciente que vous n'avez pas ce qu'il faut pour réussir. Et comme on l'a indiqué auparavant, tout être humain a ordinairement tendance à réaliser le portrait qu'a fait de lui son image mentale.

Renversez l'image mentale

La solution? Renversez l'image mentale. En vérité, ceci exigera une rééducation considérable de vous-même et ce ne sera pas facile. Il n'est jamais facile de réaliser quelque chose de créateur, mais ce n'est tout de même pas impossible. Même si c'est très difficile, la marche à suivre est vraiment simple. Le premier pas à faire, c'est de vous rendre compte qu'il vous faudrait corriger votre pensée. Cela sera dur au début, car les habitudes mentales ont creusé de profonds sillons dans votre conscience et votre tendance au négatif va s'élever fortement contre cette réorientation positive de votre esprit. Mais si vous êtes habituellement faible et vaincu, c'est dû en grande partie au fait que votre esprit, depuis des années, vous a vraiment induit en erreur sur vos possibilités réelles, essayant de vous faire échouer. Il vous faut donc être courageux pour lutter contre votre esprit. Considérez votre esprit comme une personne et dites-lui avec fermeté: «J'ai une pensée nouvelle, puissante, une pensée vitale, basée sur la confiance et j'ai l'intention de la conduire au succès, au bonheur, et toi, vieux schème de pensée négatif et défaitiste, tu as fini de me contrôler!» Ne laissez jamais votre esprit vous contrôler, c'est à vous de toujours le faire. Et avec l'aide de Dieu, c'est tout à fait possible. Vous pouvez être le maître de votre esprit si vous le voulez énergiquement; ajoutez à cela la force de motivation dynamique de la pensée positive.

Autrefois, on enseignait aux jeunes dans les écoles d'Amérique, dans les foyers et dans les églises cette philosophie énergique. Un enseignement aussi honnête a engendré une génération d'hommes et de femmes forts en ce pays, mais on l'a graduellement abandonné et ainsi s'est installée une mollesse destructrice. À mon avis, ce fut un crime contre nature.

Il est tout à fait merveilleux de réaliser que vous n'avez pas besoin d'être faible, que vous pouvez être fort, que vous aussi pouvez faire face courageusement à la vie et cela sans plier bagage ou subir la défaite.

Comment être fort aux heures sombres

Comment peut-on en arriver là? Comment développer cette qualité de posséder ce qu'il faut pour faire face à la vie? Il s'agit de développer cette foi que Dieu n'est pas une pure conception de l'esprit, mais qu'Il est vraiment près de nous, qu'Il nous aide toujours. Priez, réfléchissez et mettez en pratique cette croyance jusqu'au moment où vous serez absolument sûr que c'est un fait que Dieu est avec vous. Vous apprendrez alors que lorsqu'il vous faut faire face à quelque chose de pénible, vous n'avez pas à le faire seul. Dieu vous guidera à travers toute chose. Dieu est toujours là pour vous aider.

On me demanda d'aller faire une visite à un homme à l'hôpital. Sans m'y attendre, j'allais vivre une expérience inoubliable et riche d'inspiration. Le malade, un chef d'entreprise de l'extérieur de la ville, était très malade. Ses amis ne savaient pas s'il était pleinement conscient de son état.

«Je vous ai entendu parler un soir lors d'un congrès, dit-il. Il y avait beaucoup de bon dans votre conférence. Pourquoi êtes-vous venu me voir? Occupé comme vous êtes, vous n'avez pas le loisir de passer votre temps avec un vieil invalide que la maladie retient cloué au lit.

«Vous savez ce qui ne va pas avec moi, n'est-ce pas? demanda-t-il sans détours. Je suis en phase terminale et je n'en ai pas pour longtemps à vivre.»

Il semblait vouloir parler et continua de dire: «Je n'ai jamais été trop religieux, mais n'allez pas croire que j'ai été vraiment mauvais; pas consciemment, en tout cas, dit-il d'un ton tranchant. J'ai réfléchi quelque peu et toutes mes réflexions étaient canalisées vers Dieu. J'ai reçu une éducation de croyant, j'ai été croyant et je l'ai été à cent pour cent. Depuis le début de ma maladie, des associés en affaires m'ont écrit, et vous savez, ils sont drôles ces copains. Alors que j'étais leur associé, ils n'ont jamais mentionné une fois le nom de Dieu et maintenant, ils me parlent tous de Dieu; ils me disent que si j'ai foi en Dieu, Il m'aidera à passer au travers, peu importe ce qui arrivera. Ils me disent tous dans leurs lettres qu'ils ont passé à travers leurs propres difficultés avec l'aide de Dieu. Pourquoi ne parlent-ils pas davantage de Dieu dans leur vie quotidienne, je me le demande?

«Mon père et ma mère m'ont enseigné à mettre ma confiance en Dieu. J'ai un combat à livrer actuellement et je le sais. Je crois être très près de la fin, cependant j'ai des sursauts de vie. Quoi qu'il arrive, Dieu est avec moi. Je l'accepte comme un homme et comme un chrétien, je crois.»

De mon fauteuil, je regardais cet homme et finalement je lui dis: «Savez-vous quelque chose? Je ne vous oublierai jamais. J'espère seulement pouvoir démontrer en des circonstances similaires la moitié de votre force et de votre courage.»

«Vous le pourriez, dit-il, car vous croyez en Dieu comme moi, et si un jour vous êtes à ma place, vous pourrez compter sur Dieu. J'ai pris pour acquis que vous pouvez compter sur le Seigneur pour vous aider à accepter tout ce que vous devez.»

Il ne survécut que quatre jours après cette visite, mais aurait-il vécu quatre-vingt-dix ans, qu'il aurait difficilement pu atteindre une plus grande humanité. Cet homme était descendu vers cette vallée qu'on appelle parfois la vallée des ombres de la mort. Mais aucune vallée à travers laquelle il aura passé n'aura été trop sombre parce qu'il y avait une lumière qui l'entourait et des drapeaux lui balisaient la route. Vous auriez presque pu entendre le son des trompettes au moment de sa mort. Il possédait ce qu'il fallait pour faire face à la vie et la convertir en victoire.

Dans toutes les circonstances difficiles de la vie, pour les problèmes propres à nos jours, le principe de la pensée créatrice est très important. Car comme le disait Gautama Bouddha: «La pensée c'est tout, car vous devenez ce que vous pensez.»

Si une personne commençait dès l'enfance à se bâtir un solide schème de pensées spirituelles, elle se mettrait presque à l'abri de l'adversité et se ferait une réserve de force inébranlable pour toute sa vie. Mais nous n'avons pas bâti en nous un tel monde salubre de pensées et même notre religion a trop souvent contribué à créer en nous un état mental négatif.

En tant que professeur de spiritualité, je me suis servi des principes du contrôle de la pensée créatrice auprès de plusieurs de mes étudiants et le succès remporté à vaincre la faiblesse personnelle est d'un pourcentage vraiment élevé.

Détresse d'un homme à bord d'un avion

Par exemple, un soir, il y a un an ou à peu près, je m'envolais vers la côte du Pacifique et un homme s'est assis à mes côtés durant la plus grande partie de l'envolée; non seulement il était presque exténué, mais son corps, son esprit et son âme étaient malades aussi.

Il décrivit en détails ses symptômes physiques: obésité, tension artérielle élevée, souffle court, estomac dyspepsique, douleurs aux articulations. Sans le vouloir, il se mit à parler franchement et, de la même façon, il fit voir un esprit profondément malade. Au moment où il étalait ses pensées maladives, je pus me rendre compte d'un triste mélange de ressentiment, de haine, de jalousie, de pessimisme et de luxure. Sa vie était d'une moralité dégradante.

Après m'avoir régalé pendant une couple d'heures sur une distance de plusieurs milliers de kilomètres de ces pensées putrides et infectes, il demanda tout à coup: «Que diable pensez-vous qui ne va pas chez moi?»

«Votre référence au diable, répliquai-je avec prévenance, peut avoir une signification plus grande que prévue. Voilà qui pourrait justement être la cause de votre état actuel, car vous êtes vraiment dans une situation diabolique. En d'autres termes, votre trouble, ce sont vos mauvaises pensées, vos très mauvaises pensées. Et rappelez-vous, je vous prie, que des pensées mauvaises comme les vôtres peuvent vous rendre malade, réellement malade en s'extériorisant en symptômes physiques.»

«Les mauvaises pensées, vous pensez que c'est là mon trouble? murmura mon voisin. Pourquoi aucun écrivain, aucun professeur, aucun prédicateur n'ont-ils pas dit clairement, longtemps avant aujourd'hui, comment mal penser peut avoir d'aussi mauvais effets et pourquoi n'en n'ont-ils pas indiqué le remède?»

«Il y en a parmi nous qui ont essayé, lui répondis-je, mais oublions le passé et parlons maintenant de façon constructive.

Voilà ce que je recommande et ne croyez pas que cela ne vous aidera pas, car cela va vous aider. À partir de demain, commencez à lire les quatre premiers livres du Nouveau Testament, Matthieu, Marc, Luc, Jean. Soulignez toute phrase que vous croyez être une pensée salubre. Continuez à lire, à souligner, sans omettre un seul jour.

«Et pendant que vous lisez et soulignez, engagez-vous à mémoriser chacun des passages choisis, de telle sorte que vous puissiez les répéter facilement sans l'aide du livre. Répétez-les sans cesse, savourant leur mélodie, leur sens et en même temps représentez-vous l'image de ces pensées qui s'enfoncent profondément dans votre esprit pour expulser toutes ces anciennes pensées mauvaises, pourries qui ont empoisonné votre conscience et miné votre santé.» L'exemple que je lui donnai était tiré de Matthieu 6: 22, 23: *«La lampe du corps, c'est l'oeil. Si ton oeil est sain, ton corps tout entier sera lumineux, mais si ton oeil est malade, ton corps tout entier sera ténébreux.»*

«Ceci veut dire, expliquai-je, que votre manière de voir les choses, que l'attitude que vous prenez, que les tendances de votre pensée indiquent si oui ou non votre corps sera rempli de ténèbres, de tristesse ou bien de lumière et de joie. C'est votre manière de regarder la vie, de voir les choses qui fait toute la différence.

Vous ne savez jamais si vos leçons sont bien reçues, mais cet homme semblait sympathique. Je lui donnai la main à l'aéroport de la Côte du Pacifique; il disparut dans la foule et je l'oublai. Mais des mois plus tard, dans le hall d'entrée d'un hôtel de Chicago, un homme s'approcha de moi. «Vous rappelez-vous de moi?» demanda-t-il. C'est souvent une question difficile pour quelqu'un qui rencontre autant de gens que moi dans des réunions, mais je ne réponds jamais de façon évasive.

«Votre figure ne m'est pas inconnue, mais j'avoue ne point vous connaître.»

«Cela ne me surprend pas, dit-il, même si une fois nous avons passé une nuit ensemble à bord d'un avion. Mais alors, j'étais totalement déprimé, obèse, j'étais une espèce d'ours mal léché.»

«Eh bien, ce portrait ne vous ressemble pas maintenant», dis-je en regardant avec admiration cette personne devant moi, toute resplendissante de santé physique et mentale.

Puis, je me suis souvenu de lui. «Je vous reconnais, m'exclamai-je, vous êtes l'homme aux mauvaises pensées.»

«J'étais cet homme, voulez-vous dire, mais je ne le suis plus, dit-il avec un sourire. Je me suis réellement mis à la tâche pour suivre votre plan avec la Bible. Je sais maintenant de nombreux passages des Écritures et ils sont enracinés profondément dans ma conscience, comme vous disiez. Mon esprit en est totalement rempli. Et sans aucun doute, ils ont aussi guéri mon esprit et je m'en trouve mieux à tout point de vue. De fait, je suis indéniablement en santé, ajouta-t-il: j'ai retrouvé une force, une vigueur que je n'avais pas ressenties depuis de nombreuses années. J'ai pourtant eu de durs moments l'an dernier. Il s'est produit des choses qui auraient dû me terrasser complètement. Et maintenant, avec l'aide du Seigneur qui me guide, j'ai ce qu'il faut pour accepter l'épreuve et même plus, pour en tirer profit.»

Cette méthode, qui s'est avérée si fructueuse dans ce cas, peut faire des merveilles pour vous aussi. Mais parfois une thérapie plus profonde est indiquée et il faut guérir en profondeur à l'intérieur de la structure de la personnalité, ou en d'autres mots, il faut un changement de fond en comble de la nature. Au cours des années, il est tout à fait possible de bâtir par l'intérieur un corps que les conflits, le stress ont voué à l'échec. Ceci apparaît par des réactions diverses qui s'ajoutent au défaitisme. Mais il y a une cure pour ce mal.

Un homme voit à l'intérieur de lui-même

Laissez-moi vous raconter la singulière histoire d'un pauvre malheureux dont la guérison de la personnalité est l'un des drames humains les plus étranges que j'aie vus.

Cet homme, une personne de valeur, fut pendant des années victime de défauts patents de personnalité. Il était tendu à l'extrême, à un point tel que tout le monde était tendu autour de lui. C'était un perfectionniste, insistant pour que chaque chose soit réalisée de façon extrêmement précise et sur-le-champ. Quand il arrivait au bureau, son personnel devenait instinctivement tendu. Si on commettait la moindre erreur, il devenait enragé et, d'après ce que j'ai pu recueillir, il était enragé la plupart du temps. Il était presque complètement négatif.

Au foyer, il était encore plus exigeant. Au bureau, il faisait au moins un léger effort pour être poli, mais au foyer, il se laissait aller. Sans aucun doute, il aimait sa femme mais sans s'en rendre compte, il en avait fait la souffre-douleur de ses colères plus que nombreuses. Il jurait, criait, faisait grand déploiement de colère, puis s'emparant de tout ce qui n'était pas retenu par des clous les lançait avec violence. Puis il s'effondrait dans une noire et profonde dépression et y demeurait pendant des heures, voire même des jours.

Année après année, sa femme supportait avec patience ce comportement. Elle consacrait tous ses efforts à servir son mari, car il était en vérité un grand homme; son rôle dans la vie, se disait-elle, c'était de lui rendre les choses le plus facile possible. Elle priait pour avoir la force de supporter ces déchaînements de colère et elle eut cette force; mais peu à peu, cette pression constante siphonnait ses énergies et il devenait de plus en plus difficile d'y faire face.

Puis, un bon soir, elle en eut assez. Dans sa surexcitation, l'homme déclamait une de ses tirades, quand tout à coup sa femme s'en prit à lui avec une rare violence. Les yeux en feu, arpentant le plancher de long en large tout en parlant, elle se mit à lui décrire sans fard de quoi il avait l'air pour elle et pour les autres. Quand il tenta de protester, elle lui dit d'un ton cassant: «Tiens-toi tranquille et écoute. Cela fait des années que j'endure tes tirades; c'est maintenant à ton tour d'écouter et, crois-moi, tu vas écouter.»

Et comme il s'assoyait, impuissant à saisir le désolant tableau que sa femme brossait de lui, il vécut tout à coup une étrange expérience. La voix de sa femme semblait s'estomper. Les choses se passaient comme s'il eut été seul, contemplant un ruisseau qui coule lentement. Il réalisa d'une façon ou d'une autre que le ruisseau qu'il contemplait était celui de sa personnalité. C'était comme une rivière qui coule lentement et, au milieu du courant, se trouvait comme un gros objet dur et sombre, d'apparence rugueuse, qui dansait laborieusement sur l'eau. En ceci il reconnut un énorme péché, le sien, composé de tous les facteurs de troubles profondément enracinés en lui, tels que la culpabilité, la haine, une tension hors contrôle, le négativisme.

De fait, cette expérience peut être un bref aperçu des troubles fondamentaux de beaucoup de gens. Avons-nous des péchés distincts, des faiblesses, des maux ou bien ceux-ci sont-ils des manifestations d'un péché central, d'une faiblesse, d'un mal? Ils sont peut-être simplement des manifestations d'un seul gros péché caché, enfoui dans la conscience et d'où partent les faiblesses individuelles qu'on peut constater. Il se pourrait très bien que ce péché soit indivisible et qu'essentiellement nous n'ayons pas des péchés, mais un péché. Broyez ce péché central et expurgez-le. Vous serez transformé.

L'étrange vision disparut aussi vite qu'elle était apparue et sa femme était là devant lui parlant toujours. Au même moment, il se sentit très tendre à son endroit et il regretta toutes les heures pénibles qu'il lui avait fait subir. S'apercevant apparemment que quelque chose d'inhabituel lui était arrivé, elle le regarda d'un air étrange, s'arrêta de parler et, épuisée, s'effondra dans une chaise.

Il sut alors qu'il lui faudrait changer. Il craignait qu'en ne s'occupant pas rapidement de cette chose dure et énorme dans le flot de sa conscience, sa personnalité se refermerait et il continuerait d'être comme auparavant. La pensée lui vint que Dieu seul pouvait le changer, car il savait très bien qu'il ne pouvait rien faire pour lui-même. Il raconta la vision à sa femme et ensemble dans une prière fervente, ils implorèrent Dieu de l'aider.

En racontant son expérience, il mettait l'accent sur l'intensité de leur demande, expliquant que jamais auparavant il avait fait appel à Dieu dans ses difficultés comme il venait de le faire. «Je sentis tout à coup que la foi faisait irruption en moi. À l'instant même, j'ai cru. Vous n'avez aucune idée du sentiment de soulagement que je ressentis.»

Il n'y eut aucune transformation dramatique immédiate, mais il était évident qu'il n'était plus le même homme et ce changement en était un pour de bon. Il devenait plus reposé, moins tendu; il était même calme et se contrôlait certainement davantage. Il était capable d'améliorations sensibles dans sa pensée et son agir. Les pensées, les actions négatives cédèrent la place à des attitudes plus positives, davantage basées sur la foi. Son changement indiquait que le «gros morceau dur» s'était brisé et avait disparu. De fait, il dut en être ainsi car sa femme, qui devait certainement le savoir, dit maintenant, les yeux remplis d'émerveillement: «Mon mari est tellement différent.»

Les résultats pratiques ont été tout à fait précis. Il parle d'un nouveau sentiment de force et de puissance. «La terrible pression qui d'ordinaire montait en moi a disparu et je me sens plus détendu. Pourquoi personne ne m'a-t-il parlé de cette puissance longtemps avant que je ne gâte ma vie de si terrible façon? Eh bien, en tout cas, je remercie Dieu de la connaître maintenant.»

Vous pouvez certainement développer cette force et posséder ce qu'il faut pour faire face à la vie. Vous pouvez devenir un optimiste déterminé et faire face aux crises et défis d'aujourd'hui avec une pensée positive et créatrice.

Ce qu'il faut avoir pour faire face à la vie:

1. Pour vivre dans ce monde, vous n'avez qu'à être fort. Commencez donc à développer cette détermination intérieure ou cette force de tension dans votre esprit, dans votre âme.
2. Quand la vie se fait dure, laissez votre détermination y faire face, soyez déterminé.
3. Remettez constamment en valeur ce fait important que Dieu a mis dans votre nature cette force en puissance. En l'affirmant, en la faisant s'exprimer, cette force fondamentale va se renforcer comme le font les muscles.
4. Voyez à ce que votre changement soit d'ordre spirituel car la vraie force n'est pas la brutalité.

5. Renversez votre image mentale: faites-en une image claire et *forte* de *faible* qu'elle était. Maitenez alors fermement ce concept positif en votre conscience jusqu'à ce qu'il soit parfaitement assimilé.
6. Pratiquez cet exercice jusqu'à ce que vous le maîtrisiez, puis continuez cette pratique pour converser cette pensée puissante et créatrice à savoir que vous êtes capable si vous croyez l'être.
7. Denevez un penseur positif. Peu importe que les heures semblent sombres ou le soient vraiment, regardez plus haut et envisagez les possibilités; envisagez-les toujours, car elles sont toujours là.
8. Prenez pour acquis qu'avec l'aide de Dieu vous pouvez supporter ce que vous avez à supporter avec courage et que vous pouvez être assuré de la victoire.
9. Rappelez-vous que vous deviendrez ce que vous pensez, en bien ou en mal, en faiblesse ou en force, en vaincu ou en vainqueur: pratiquez-vous donc à devenir un penseur positif à une époque comme la nôtre.

N'ayez jamais peur de quelqu'un ou de quelque chose

«N'ayez jamais peur de quelqu'un ou de quelque chose ici-bas.» Je me rappelle cet énoncé comme s'il datait d'hier. L'orateur était Grove Patterson, le lieu, le bureau rédactionnel du vieux *Detroit Journal*, la date, un jour d'octobre, il y a quelques années.

Comme jeune reporter, à peine sorti du collège, je recevais les instructions de mon patron qui allait devenir par la suite un ami pour la vie. Il pointa vers moi son gros doigt taché d'encre. Il semblait avoir toujours de l'encre sur les doigts. «Écoute-moi, Norman, et ne l'oublie jamais. Ne t'en va pas dans la vie la trouille aux fesses, dissimulant tout un tas de peurs. Quelle raison y a-t-il d'avoir peur?»

J'imagine qu'il avait parfaitement lu en moi, car la crainte et le complexe d'infériorité qui m'affligeaient depuis des années m'ont causé des problèmes jusqu'au moment où j'ai appris à les maîtriser. Et cette conférence de Grove Patterson fut importante dans ce procédé éducationnel.

Ayez du courage face aux gens et aux choses. Regardez-les bien dans les yeux et dites à tous de foncer. Dites-vous à vous-même, répétez-le tous les jours assez souvent pour l'enraciner en vous: «Avec l'aide de Dieu je n'aurai peur de rien, ni de quelqu'un ni de quelque chose.»

Mes relations avec le rédacteur en chef ont vraiment commencé ce jour-là. Ses paroles et sa foi positive vraiment adulte m'atteignirent au plus profond de ma conscience. Pour la première fois, j'eus ce rayon d'espoir que je pouvais vaincre mes craintes. Comme s'il avait lu dans mon coeur, il ajouta quelques mots plus puissants encore et, à ces mots, le bureau délabré du vieux journal de la Jefferson Avenue sembla soudainement renaître. Encore aujourd'hui, je me rappelle la puissance que je ressentis quand Grove récita lentement: «*Sois fort et tiens bon! Sois sans crainte, ni frayeur car Yahvé ton Dieu est avec toi dans toutes tes démarches.*» (Josué 1; 9)

Puis me frappant amicalement l'épaule, il dit: «Vas-y maintenant, mon vieux, et fais valoir tous tes talents.» Ce fut une de ces expériences dont on garde toujours le souvenir pour se revigorer dans la vie.

Depuis lors, j'ai travaillé durant des heures et des heures pour maîtriser la peur. Au début, une raison tout à fait personnelle me motivait; j'en avais assez d'avoir peur, d'avoir toujours honte, d'être nerveux. Il me fallait simplement trouver un moyen de me soulager, de me libérer ou sinon...! Justement, je n'allais pas passer ma vie à supporter ce tourment de la crainte. Je ne pouvais pas vivre avec ce sentiment; j'étais donc déterminé à vivre sans lui.

Mais comment? C'était là la bonne question. Grove Patterson m'a dit que la foi religieuse pourrait m'aider. Eh bien, je n'étais pas un jeune particulièrement religieux; mon père était prédicateur et j'avais été plongé dans la vie religieuse depuis ma tendre enfance jusqu'à mon entrée au collège. Alors pendant quatre ans, j'ai honte de le dire, je suis rarement allé à l'église sauf lors de la visite de mes parents. Peut-être aussi avais-je été saturé de vie d'église ou peut-être que les prédicateurs à la chapelle du collège ne m'atteignaient pas; il faut dire que je ne leur donnais pas grand-chance.

De retour au foyer, durant les vacances, tous les dimanches, j'allais entendre mon père prêcher. Mais c'était différent. C'était terre-à-terre, plein de gros bon sens. C'était une doctrine pratique adaptée au public et il manifestait clairement qu'il aimait son auditoire. Il avait été médecin autrefois; je crois qu'il avait dû être bon médecin si on en juge par le nombre de ses patients et par la position qu'il occupait à Milwaukee où il avait son cabinet. Puis, après une grave maladie, il vécut une expérience spirituelle remarquable et ne put se retirer de son travail pastoral. Pour lui, la religion et la médecine faisaient comme un corps, un alliage de chair et d'âme. Il avait foi dans la Bible et dans les expériences spirituelles tout en étant en même temps un penseur libéral actif, doué d'une conscience éminemment sociale.

Sa manière de penser, de s'exprimer, de procéder était unique; il était incontestablement un original. En l'écoutant et aussi en vivant avec lui, je me suis rendu compte qu'il possédait quelque chose de différent, de très différent: un christianisme réellement effectif, capable, grâce à sa force puissante, d'opérer des guérisons et de changer les esprits. Je vis clairement qu'avec la guérison de l'esprit, c'est aussi le corps et l'âme qui sont touchés. Je compris plus tard cette étonnante vérité que plusieurs maladies chez les humains, tant celles de l'esprit que du corps, prennent leur source dans une âme malade.

Je découvre une solution aux conflits

C'est en constatant combien la pratique religieuse était importante chez mon père que je commençai à découvrir une solution à mes propres luttes intérieures. C'est à ce moment qu'ont démarré mes recherches concernant la paix de l'esprit, la victoire sur moi-même, la force et la puissance que m'offrait certainement le christianisme. Je n'ai pas trouvé tout de suite; de fait, ce fut une recherche longue et souvent désappointante, mais mes découvertes furent suffisantes pour que je ressente, comme mon père auparavant, un appel certain pour le service pastoral. Je voulais aider ceux qui souffraient comme moi, les aider à trouver une foi positive pour les heures difficiles que la vie apporte à chacun.

J'entrai à l'École de Théologie de l'Université de Boston, mais je n'y trouvai pas la réponse, que je cherchais toujours, à mon problème. La première tentative de la faculté fut de renverser ma foi toute simple et de lui substituer une approche intellectuelle aux enseignements de Jésus en en faisant un genre de manifeste social. À cette époque-là, on parlait d'approche sociale de l'Évangile, ce qui voulait dire appliquer les enseignements du Christ aux problèmes de la société. On considérait cette approche de beaucoup supérieure à celle apparemment traditionnelle de l'Évangile qui visait au salut des corps et des âmes. On se souciait peu d'équilibrer chacun de ces deux aspects importants, l'individuel et le social, et de les intégrer à un Évangile complet. Mais l'érudition de la faculté, les chefs religieux éminents, les étudiants très brillants m'impressionnèrent et je devins un adepte enthousiaste de cet Évangile que l'on qualifiait de social.

Cependant, après quelques années passées à mettre l'accent sur ce social «en vogue», je commençai à douter que ce fut la réponse à tout. Cette force, cette vue spirituelle et personnelle que j'avais, commençaient à s'amenuiser et à perdre de son intérêt. Aussi, les gens ordinaires qui venaient à mon église ne semblaient atteints et intéressés profondément que lorsque je parlais avec eux d'une façon toute simple mais sincère de l'appel de Dieu à une vie meilleure. Je commençais à me demander si ce type de christianisme socio-éthique possédait vraiment le dynamisme nécessaire pour changer les personnes. Je me suis rendu compte que les individus avaient besoin de Dieu dans leur vie personnelle avant d'être des partisans de programmes sociaux axés sur Dieu. En mettant l'accent exclusivement sur l'aspect social de l'Évangile, je voyais la vie spirituelle des gens se détériorer. Je crois de tout mon coeur à l'application des enseignements de Jésus aux maux incroyables et aux injustices de la société; de fait, selon moi, seul un retour au vrai christianisme peut guérir notre culture. Mais je crois aussi que les enseignements de Jésus ont été conçus pour aider l'individu à vivre dans ce monde, à en surmonter les difficultés et à les vaincre dans la patience.

Ainsi donc, placé devant un véritable dilemme, je me suis mis à feuilleter rapidement le Nouveau Testament, page par page, dans l'espoir de trouver un programme précis de cet Évangile social. J'avais assez de simplicité pour croire que le Nouveau Testament était réellement notre unique document de base qui fisse autorité sur les véritables enseignements de Jésus-Christ. Mais mes amis soi-disant savants me dirent de ne pas consulter ce livre, mais de prêter plutôt attention à quelques sources vagues qu'ils appelaient «les meilleurs discernements de notre temps».

Cette sagesse supérieure m'impressionna fortement; c'était sans doute un relent de mon ancienne crainte des gens, car j'avais toujours eu une crainte révérentielle des savants et des gens au verbe prolifique; je cherchai donc ma réponse dans ces prétendus «meilleurs discernements», mais je commençai bientôt à me poser des questions: qui possédait ces discernements et, de toute façon, qu'est-ce qu'ils en savaient? En outre, je me rendis compte que même les meilleurs discernements peuvent changer avec le temps alors que «*Jésus-Christ est le même hier et aujourd'hui, et il le sera à jamais»*. (Hébreux 13: 8)

J'en arrivai à la conclusion que ses enseignements sont d'abord conçus pour développer un peuple respectueux de Dieu et de ses lois au sein de ce monde de péché. Si ce peuple de Dieu était suffisamment dépaganisé, il aurait des attitudes de charité et de sollicitude pour les hommes ses frères. Il pratiquerait la fraternité et tiendrait tous les hommes en estime sans égard à la race, la couleur ou le standing social. Il essaierait de rendre la vie meilleure pour chacun, en particulier pour «les petits» (Marc 9: 42), c'est-à-dire les faibles et les infortunés. Je vis que les principes d'une société éclairée provenaient d'un tel enseignement de base. Mais je n'ai surtout jamais pu tomber d'accord avec l'arrogant postulat que, pour être chrétien, il me fallait être à la tête de grévistes ou joindre les rangs du parti socialiste ou encore mousser une législation sociale au Congrès ou qualifier de réactionnaires ceux qui n'agissaient pas ainsi. Je remarquai l'arrogance et souvent le peu de valeur des extrémistes tant dans l'aile libérale que conservatrice du christianisme; je décidai donc que je me situerais à mi-chemin avec la moyenne des gens du peuple qui n'avaient pas toutes les réponses et s'en rendaient compte, mais cherchaient Dieu en toute humilité.

Après ma théologie, je devins pasteur d'une petite communauté de Brooklyn qui ne comptait que quarante membres et un petit abri délabré. Avec enthousiasme, je commençai à parler à la congrégation naissante de l'effort à faire pour ériger une église. Je grimpai dans les échaufaudages, je pavai des chemins et je pris tous les moyens à ma portée pour atteindre les gens; je suis allé les chercher un par un et en moins de trois ans nous avions près d'un millier de membres et un très bel édifice. J'ai essayé de faire la synthèse du message social et individuel de l'Évangile, mettant toujours l'accent sur les merveilles qu'opérerait une société organisée autour du Christ dans la soumission à Dieu. Et nous eûmes une merveilleuse et heureuse communauté de gens, mais heureuse à cause de son véritable dévouement. La foi rayonnait de leur personne, même de moi, ce qui est plutôt étrange, car j'étais sans nul doute un des instruments le moins fiable dont Dieu puisse jamais se servir.

Puis, je fus muté à une belle et grosse église à Syracuse. C'était un temple splendide presque entièrement composé d'immenses et magnifiques fenêtres enchâssées dans la pierre. En imagination, je peux même revoir en ces éclatants dimanches matins l'éclat du soleil filtrant à travers les vitraux et y laissant de longues traînées lumineuses jusqu'au milieu des colonnes de la nef.

Sous la gouverne d'un sage professeur

C'était une tribune universitaire, toujours respectée des savants, spécialement de ceux qui se targuaient d'être profonds. J'y ai prononcé quelques vrais sermons qu'on peut qualifier «d'intellectuels». Puis un des professeurs, le doyen Bray, homme cordial et érudit véritable, m'invita à dîner et dit: «N'essayez pas de nous impressionner avec votre érudition. Quoique nous soyons professeurs, nous sommes d'abord des être humains, croyez-le ou non. Vous êtes notre professeur spirituel; brisez-nous le pain de la vie en morceaux assez petits que nous puissions les diréger. Soyez simplement vous-même et faites-nous part selon nos besoins de ce que Dieu signifie pour vous et de ce qu'il a fait pour vous personnellement. Montrez-nous le chemin de la paix, du discernement et la force.» Sage conseil de la part d'un professeur assez savant pour être simple.

Eh bien, le problème venait du fait que j'avais presque perdu la vitalité spirituelle que j'avais possédée. Et ce n'était pas tout. Ces anciennes craintes et ces ennuyeux doutes personnels me tourmentaient toujours et je devenais plus tendu à cause de ces conflits intérieurs et émotionnels. Ma religion, j'ai dû l'admettre, n'avait pas la profondeur suffisante, la vitalité, la pénétration pour guérir l'état de traumatisme qui affligeait mon esprit depuis longtemps. Ces fameux schèmes de pensée éthique et sociologique qui passaient pour être le christianisme et qui de fait en étaient venus à dominer le protestantisme libéral américain étaient pour moi ni plus ni moins qu'insatisfaisants et inefficaces. S'ils ne pouvaient pas me changer, moi, une personne, qui pouvaient-ils bien changer? Certainement pas la société. Il me fallait simplement trouver un moyen quelconque qui fût vraiment efficace. Et je savais aussi où aller le chercher.

Je commençai une étude scientifique sérieuse auprès de gens qui avaient subi des changements profonds et précis dans leur personnalité: des anciens ivrognes, des voleurs, des libertins, des gens aux prises avec des difficultés de toutes sortes et qui étaient maintenant entièrement libérés de leur problème antérieur. J'ai découvert que dans presque tous les cas, c'était un abandon en profondeur à Jésus-Christ qui avait produit ces changements surprenants.

Quoiqu'aucun des problèmes ci-haut mentionnés ne fussent les miens, j'en avais d'autres tout aussi compliqués et générateurs de souffrance. Je souffrais de la peur, j'étais timide, je doutais de moi, j'avais des sentiments négatifs d'inaptitude et j'étais en proie à un énorme complexe d'infériorité. L'abandon à Jésus-Christ pourrait-il exorciser hors de moi ce fouillis de faiblesses, comme ce fut le cas pour les gens de mon enquête? Je croyais réellement la chose possible quoique à l'Université de Boston je n'eusse jamais entendu parler de cela si ce n'est de la part de ce cher vieux «Daddy» Butters, le vrai type de professeur humain qui rendait visite aux étudiants pour faire un brin de causette dans le seul but de leur montrer qu'il les aimait.

Mais je me suis rendu compte que je n'avais pas pu tirer profit complètement de ce changement de pensée et de vie durant les années qui ont suivi l'obtention de mes diplômes au séminaire avant d'avoir surmonté un obstacle d'ordre intellectuel. Il semblait que la hiérarchie chrétienne intellectualisée considérait généralement avec méfiance le fait «de se transformer» et mon union avec elle m'a amené à éviter aussi le renouveau. En fait, on le considérait quasi comme vieux jeu. Pour le moins, dans «les meilleurs» cercles on ne mettait pas l'accent sur le changement de vie. Par exemple pour le péché: il ne s'agissait apparemment que d'un phénomène social que l'on ne trouvait que chez les capitalistes et les républicains par opposition aux saints politiciens de l'aile gauche. Vous n'entendez presque jamais parler de péché dans la bouche de ces prédicateurs très à la page si ce n'est dans un sens purement théorique, excepté peut-être dans la bouche de quelques survivants «réactionnaires» qui avaient encore leurs doutes sur les idées de gauche. Bientôt, ceux qui n'avaient pas suivi la ligne du parti durent se rendre compte qu'ils ne faisaient plus partie du cercle fermé des chefs ecclésiastiques qui exerçaient le contrôle.

On regardait avec mépris les efforts de renouveau. Toute idée d'expérience d'une nouvelle vie personnelle fut mise au rancart chez les chrétiens libéraux. Combien de fois n'ai-je pas observé Bill Jones, Mary Smith et Harry Wilson, de simples diplômés d'un collège ordinaire, faisant de leur mieux pour s'inspirer de ce christianisme sans vie, sans âme sous une apparence d'érudition, essayant d'y trouver leur profit? En résumé, plusieurs, en nombre effarant, avaient quitté de coeur et d'esprit le christianisme tout en maintenant les apparences d'une pratique extérieure, venant même à l'église et y apportant leur contribution financière.

J'ai approfondi le problème de long en large pour trouver un genre de foi et une manière de la mettre en pratique qui me donneraient une victoire personnelle sur moi-même. Avant de donner aux autres le moyen qui mène à la victoire, il me fallait le trouver pour moi-même sinon je serais comme l'aveugle qui en conduit un autre et finalement nous tomberions tous les deux dans la fosse.

Je commençai à lire une certaine littérature spirituelle que je savais se propager de plus en plus dans les foyers et à l'église, atteignant ainsi les gens de son message. Cette littérature provenait du Unity Movement from Science of Mind, de nombreux professeurs de métaphysique de Christian Science, du groupe Oxford et du Réarmement moral. Glen Clark, Starr Daily et Sam Shoemaker étaient des auteurs très en vogue. Ces écrivains enseignaient que Jésus-Christ avait établi de façon scientifique un traité complet de pensées et de vie conduisant au changement et à la victoire. Ce que je lisais était en quelque sorte une réminiscence de la prédication de mon père, bien qu'il n'eût jamais accès à ces écrits dans sa jeunesse. Il en était arrivé à des concepts à peu près similaires exprimés dans un vocabulaire différent; c'était le fruit de ses recherches personnelles en vue d'en arriver à un message précis et pratique pour les hommes d'aujourd'hui, message qui pourrait servir dans le besoin.

Je crois à la Bible comme Parole de Dieu aussi sincèrement que le plus ardent des fondamentalistes* mis à part le vocabu-

*N. du T.: Le fondamentalisme est un mouvement protestant né aux États-Unis au début du siècle qui soutient qu'il faut interpréter la Bible au sens littéral, qu'elle est un document spirituel et historique infaillible.

laire recherché et l'approche mécanique prônée par quelques-uns. Je crois que Jésus-Christ est le Fils de Dieu, qu'il est notre Seigneur et notre Sauveur. Je crois au Saint-Esprit, je me rattache en ligne directe aux doctrines historiques de la Christian Church; mais je crois aussi que cette foi ancienne peut être enseignée avec des idées neuves, récentes, dans un vocabulaire précis, qu'elle peut s'appliquer de façon scientifique et donner à la vie des gens un pouvoir créateur qui soit capable de résoudre les problèmes les plus difficiles de la nature humaine et de la société.

Chaque critique acerbe est un stimulant

Ce n'est pas sans une forte opposition de la part de quelques ministres que j'ai enseigné cette doctrine dans mes sermons et dans mes livres. Au début, pas récemment cependant, quand j'ai commencé à publier des livres, croyez-le ou non, quelques-uns ont même, dans leurs sermons dirigés contre moi, parlé de «pealisme» en faisant référence à mes enseignements; en effet, les libéraux me condamnaient pour une raison, les fondamentalistes pour une autre. Mais je me suis rappelé le vieux dicton: «Chaque critique acerbe est un stimulant» et c'en fut un pour moi.

À ce sujet, il s'est passé un fait cocasse lorsque plusieurs de mes paroissiens, lors d'une réunion, vinrent dire à tour de rôle ce qui les avait conduits à notre église. Une femme dit: «Le diable m'a conduite au Marble Collegiate Church.» Elle se mit à rire de satisfaction en disant cela, ce qui piqua la curiosité des gens étonnés. Elle s'expliqua en disant: «J'étais membre de l'église du pasteur X et il prêchait constamment contre le pasteur Peale, le traitant de démon. Il rabâchait toujours la même chose sur cet effroyable pasteur Peale, au point que je devins curieuse d'aller à l'église du pasteur Peale. J'y ai vu les gens faire la queue pour assister aux services religieux. J'ai écouté le sermon et il m'a paru un bon enseignement de la Bible et j'y ai assisté plusieurs dimanches. Puis je revins à mon église et le pasteur X prêchait toujours contre le pasteur Peale. Aussi, après le sermon, je me dirigeai vers lui et lui demandai: "Y aurait-il par hasard deux pasteurs Peale?" "Non, répondit-il, il n'y en a qu'un, Norman Vincent Peale." "Eh bien, dis-je, c'est très étrange. Je suis allée écouter ses sermons et il n'est pas du tout celui que vous dites." Le sang lui monta à la figure, dit-elle et elle ajouta: J'ai décidé d'adhérer à l'église du pasteur Peale.»

Apparemment, ces braves gens n'aimaient pas qu'on enseigne le christianisme dans une autre terminologie, avec d'autres schèmes de pensée que ceux qu'ils employaient traditionnellement. Bien que je crusse à leur sincérité, ils semblaient trouver répréhensible d'avoir des méthodes et des approches différentes des leurs; ils auraient aimé que nous soyons tous dans le même moule. Il est possible qu'ils fussent contrariés par le fait que ce genre d'enseignement spirituel atteignait un très grand nombre de gens.

Mon père, toujours alerte mentalement et spirituellement, me dit: «Norman, j'ai lu et étudié tous tes livres, tous tes sermons et il est absolument évident que peu à peu tu as érigé un nouveau système de pensée et d'enseignement religieux. Et c'est bien, même très bien aussi, parce que son centre, son contenu, son essence, c'est Jésus-Christ. Il n'y a aucun doute sur la solidité de son orientation biblique. Oui, à partir de composantes métaphysiques, médicales et psychologiques tu as développé, ce qui est nouveau, l'importance chrétienne de l'évangélisation, du témoignage et de la croyance sincère.»

En réponse à ce qu'il venait d'énoncer, je lui ai reproché de dire que j'avais produit quelque chose de tout à fait nouveau. Qui suis-je pour développer un nouveau type de christianisme? Je ne suis pas théologien, mais seulement un prédicateur et un pasteur. «C'est tout simplement le bon vieil Évangile que je prêche, papa, lui dis-je, avec des mots et des schèmes de pensée d'aujourd'hui. Je veux faire connaître le Christ à une génération qui semble en grande partie L'avoir perdu.»

«C'est vrai, dit-il, mais cela n'a jamais été fait auparavant de cette manière et avec une telle envergure. Ton travail est une synthèse de l'ancien et du nouveau et jamais, en aucun temps, tu fus le moindrement infidèle à Jésus-Christ et à la Bible. Tu as prêché tout l'Évangile, le péché, le jugement, la rédemption, la grâce sanctifiante et le salut, mais en simplifiant tout cela, tu en a fait un mode de vie pratique et joyeux. C'est absolument centré sur le Christ, et ce sont des personnes concrètes que tu veux rejoindre.»

«Mais, papa, dis-je, quelques membres du haut clergé et d'autres moins importants, mais qui règlent leur conduite sur les chefs, veulent réellement ma tête. Parfois, j'ai vraiment pensé que je devrais exercer mon ministère en-dehors de l'Église.»

Il me regarda longuement. «Cela me briserait le coeur. Tu es un authentique prédicateur, fidèle à Jésus-Christ et fidèle à l'Église. C'est un vieux prédicateur qui te le dit; en outre, ajouta-t-il, les Peale n'abandonnent jamais.» C'est ce que j'ai fait. Je suis demeuré dans l'Église. Il y a de la place dans la grande Église de Dieu pour différents types d'homme, pour des approches variées si l'enseignement est fidèle au Christ.

J'ai découvert qu'un facteur de base pour vivre sans la peur, c'est d'avoir cet enseignement de foi tout simple et de le mettre en pratique: Dieu prendra soin de moi. Cette conviction fut pour moi une pierre fondamentale d'importance pour avoir du courage.

Mon ami Albert E. Cliffe, éminent chimiste au Canada, était sur son lit de mort et on avait abandonné tout espoir de lui sauver la vie. En ce moment de grande détresse, il s'abandonna à Dieu en disant: «Je me donne à toi, Seigneur. Fais de moi ce que tu voudras.» Il en était arrivé à cet étonnant détachement de lui-même, élément essentiel à tout changement spirituel. Une paix et une force nouvelle l'envahirent. Il guérit et pendant plusieurs années, sa vie fut étonnamment fructueuse.

Abandon total et confiance en Dieu

Professeur, il donnait un des plus importants cours de Bible de sa ville. Il écrivit un livre au titre provocateur, *Let Go and Let God*, volume à qui je dois beaucoup personnellement. Le titre lui-même est une formule vivante, créatrice. En tant que chimiste, il manipulait constamment des formules et selon lui cette formule spirituelle avait la valeur d'une science exacte comme celle de n'importe quelle de ses disciplines scientifiques. On avait créé cette formule et on s'en servait pour mettre fin à un stress occasionné par les soucis, la peur; on n'avait qu'à remettre entre les mains du Seigneur tout problème, toute difficulté, toute crainte, puis de les voir en imagination comme commis à la garde de Dieu.

La formule d'Al Cliffe finit par m'impressionner beaucoup à cause surtout des effets étonnants qu'elle eut sur sa vie, sur la mienne et sur beaucoup d'autres aussi. Ainsi donc, quand la crainte commencerait à envahir mon esprit, je dirais simplement «abandon total et confiance en Dieu». Je prendrais cette attitude d'esprit que maintenant le problème ne me concernait plus et que je devais accepter la volonté de Dieu sur moi telle qu'elle pourrait être. J'ai trouvé que ce procédé ne réussissait pas facilement, mais qu'il réussissait de fait si vous vous y appliquiez avec soin. À l'exercice, vous deviendrez peu à peu compétent dans l'art spirituel de l'abandon de toute haine, de tout égoïsme, de toute crainte.

Parfois, c'est en termes de reddition qu'on qualifie cette technique du parfait renoncement qui consiste à remettre du fond du coeur, entre les mains de Dieu, de façon délibérée et rapide, la crainte ou tout autre trouble. De fait, ceci est loin d'être chose facile, car l'esprit a tendance à s'attacher fermement même à ce qui exige vraiment une libération. Charles Dickens a écrit une phrase qui fascine toujours par son interprétation subtile de ce fait psychologique: «Nous portons les chaînes que nous fabriquons dans la vie.» De fait nous formons vraiment un à un les maillons pour en faire une chaîne de peur jusqu'à ce que nous en soyons les esclaves et, chose étrange, nous aimons nos chaînes même si nous les haïssons. Ce bizarre équivoque mental explique, en partie du moins, pourquoi il est si difficile de se débarrasser soi-même de ses propres craintes.

On a démontré maintes et maintes fois cependant que lorsqu'une personne a vraiment pris la décision de mettre fin à ses craintes et d'admettre en toute honnêteté qu'elle ne peut absolument rien d'elle-même et qu'elle s'en remet totalement au Seigneur, la libération s'opère alors de la façon la plus extraordinaire.

Et croyez-moi, je sais de quoi je parle. J'ai personnellement fait l'expérience de ce procédé pour me débarrasser de la peur et ce fut pénible. Durant mon stage à Syracuse, j'avais fait quelque progrès dans la vie spirituelle selon les principes de cette science. Mais en 1932, quand je retournai dans la ville de New York, les anciennes craintes qui m'avaient affligé depuis mon enfance m'assaillirent. J'étais maintenant pasteur de la fameuse église de la Fith Avenue et des gens disaient que j'étais trop jeune, trop inexpérimenté pour un poste qui comportait tant de responsabilités, que tout simplement je n'avais pas ce qu'il fallait. Bien que je ne pusse démentir ces affirmations dénigrantes, les remarques m'incitèrent cependant à leur démontrer que je pouvais remplir cette tâche, peu importent leurs propos. Il ne s'agissait pas là d'un motif très élevé, mais je n'étais pas homme à accepter la défaite sans mot dire.

Mais les problèmes s'accumulaient. C'était dans les années 1930, l'époque de la grande débâcle boursière. Les gens battaient le pavé à la recherche d'emplois qui étaient absolument inexistants. Sur les plans économique et psychologique, ce fut la pire période que j'ai connue de toute ma vie aux États-Unis. Rien auparavant ou depuis que je l'ai vécue, a même approché de loin la profondeur du découragement qui accabla les Américains, spécialement dans un centre financier comme New York.

En plus de ces sombres conditions sociales et financières, la communauté ecclésiale dont je venais d'assumer la responsabilité avait été réduite à un petit nombre de personnes; et dans l'immense sanctuaire, on aurait dit que je parlais à une poignée de découragés. Lors de nos prévisions budgétaires, nous ne pouvions prévoir plus que 15 000 $ de contributions annuelles des membres de la fameuse église de la Fith Avenue, la plus ancienne communauté protestante d'Amérique.

Le moral de la communauté était réellement bas, le mien aussi. Mes anciennes craintes s'emparèrent de mon esprit et me glacèrent d'effroi. Qu'allais-je faire? Je voyais s'approcher le spectre de l'échec, de l'échec inexorable! Tout tourbillonnait dans ma tête, ce qui me laissait encore plus tendu, plus découragé que jamais et en conséquence dans un état d'efficacité douteuse.

À ce moment-là, ce fut le temps des vacances d'été et madame Peale et moi sommes partis pour un voyage en Europe projeté depuis longtemps. La perspective de ce voyage aurait dû me remplir de joie; au contraire, je rabattis les oreilles de mon épouse de propos négatifs dont mes craintes étaient l'unique objet. Elle est une épouse patiente, aimante et elle m'écoutait. De fait, c'est tout ce qu'elle pouvait faire. Mon flot interminable de paroles a réduit ses chances de parler, c'est le moins qu'on puisse dire.

Une de mes plus grandes expériences spirituelles

Enfin, après être arrivé en Angleterre et après quelques jours de flânerie plutôt monotones, nous sommes arrivés à Keswick, ville sise au coeur de la Région des lacs. Le Keswick Station Hotel était une auberge campagnarde typiquement anglaise. Des écriteaux et de vastes peintures aux couleurs sombres représentant des paysages de la Région des lacs s'alignaient sur les murs de ses salles et de ses escaliers; on y trouvait aussi la plus grande collection de poteries d'étain jamais vue.

L'hôtel avait un superbe jardin anglais traditionnel et de ses allées on voyait se dérouler le magnifique panorama des montagnes environnantes à l'aspect sévère et dont les cimes étaient ensevelies dans les nuages. Durant les brèves périodes ensoleillées que l'on nous promettait chaquc jour lors des prévisions atmosphériques, la splendeur d'un rayon de soleil perçait les nuages et, pour un bref moment, parait de ses feux les fleurs, les haies, les gazons frais tondus qu'on ne peut voir qu'en Angleterre.

Au fin fond du jardin, il y avait un banc. Il est encore là aujourd'hui. Nous revenons parfois nous y asseoir et remercier Dieu. Car, en ce jour d'été de 1933, j'ai trouvé le secret fondamental pour n'avoir peur de personne ni de rien; depuis, j'ai eu le privilège d'enseigner ce secret à des milliers de gens dont plusieurs ont vraisemblablement été délivrés de la domination de la peur.

Cet après-midi-là, comme nous étions assis ensemble sur ce banc, je recommençai mon éternelle litanie de peurs. Pour la millième fois j'exposai à Ruth comment tout me décourageait, combien ce serait pénible de retourner à la maison dans un tel état de dépression et d'aussi mauvaises conditions financières. Je fis la liste de mes problèmes qui prenaient tous une allure formidable. Je lui fis part de mon assurance la plus complète d'un échec.

Puis survint une des plus grandes expériences de ma vie, le commencement d'une aventure passionnante qui m'a transformé personnellement et m'a procuré une victoire inattendue, mais combien importante sur la peur. Mon épouse Ruth est gentille, c'est une bonne âme, mais quand on la provoque, elle devient énergique et, mon ami, je t'assure qu'elle est énergique. Se tournant vers moi, elle dit: «Je t'en prie, arrête cette conversation négative. J'en ai assez de l'entendre. Qui es-tu, un comédien? *Tu enseignes* la foi, en as-tu toi-même? Ou n'es-tu qu'un moulin à paroles sans signification, qui ne veulent rien dire? Dieu et Jésus-Christ ont-ils un sens pour toi?

«Dieu t'a doué de grandes possibilités et t'a donné une chance sans précédent de servir. Et tu es capable, si seulement tu voulais t'oublier. La seule chose à laquelle tu penses, c'est toi, ton moi t'enveloppe, t'empêche d'agir, te domine. Ainsi tu avances dans les ténèbres, dans la peur puisque la vie est à peine intéressante. Cela me fait tellement de peine pour toi.»

Puis elle prit ma main dans sa petite main. Combien douce avais-je toujours pensé qu'elle était lors de nos promenades au clair de lune, mais en ce moment, elle n'était pas douce. Elle tenait très puissamment ma main et disait d'un ton ferme: «Tu vas rester assis avec moi sur le banc jusqu'à ce que tu t'abandonnes, toi et tes craintes, entre les mains de Jésus-Christ.»

Alors, moi qui étais son pasteur, qui avais été entraîné à faire pour les autres ce qu'elle faisait maintenant pour moi, je lui demandai humblement: «Comment fait-on pour s'abandonner au Seigneur? Que dois-je faire et dire? Comment m'y prendre pour m'abandonner?»

Je l'entends encore parler avec la sagesse innée du coeur le plus sincère que j'aie jamais connu. Elle dit simplement: «Écoute, mon Seigneur, je Te donne maintenant ma vie, mon esprit, mon corps, mon âme. Je Te donne toutes mes craintes. Si Tu veux que j'échoue, je suis content d'accepter l'échec. Tout ce que Tu feras de moi, ça me va. Prends tout ce qui m'appartient. Je Te rends tout.»

Je répétai en hésitant les paroles après Ruth et à ce moment-là, je voulais dire ce que je disais, je voulais vraiment le dire. Cette prière est allée au plus profond de moi-même et avec elle en est rejaillie la vérité, la vérité absolue. Soudain toute tension, tous soucis me quittèrent. Je pouvais littéralement les sentir s'en aller un peu comme un caoutchouc qu'on étire et qui revient à son état primitif. Un sentiment de bonheur, de joie faudrait-il dire, un sentiment que je n'avais jamais ressenti auparavant dans ma vie surgit de tout mon être. Je n'avais jamais vécu rien de tel dans toutes mes expériences.

Délivré de la peur

La délivrance que je ressentis était très intense, très accablante, au point d'être vraiment douloureuse, comme une plaie profonde qui se vide de son infection; mais bientôt à cette sensation fit suite un soulagement indescriptible. Si je ne l'ai jamais eu de nouveau, je l'ai eu une fois. Ce fut un sentiment de la présence curative de Dieu, si puissante, si évidente, si réelle que je sus de science certaine qu'Il existe et qu'Il touche nos pauvres vies humaines de sa grâce puissante et prestigieuse.

Si je n'avais pas vécu cette extraordinaire expérience, je suis certain que ma vie aurait été entièrement gâchée par la crainte, les sentiments d'infériorité et l'obsession de l'échec qui rend impuissant. Je me rendis compte que non seulement moi, mais des milliers de gens obsédés de façon similaire pouvaient être délivrés de la peur, cette terrible destructrice, par la simple formule de l'abandon à Dieu. Je sus plus tard que telle serait ma mission dans la vie: expliquer et conseiller fortement à mes frères les hommes une méthode de foi, une pratique tellement efficace qu'elle donne le pouvoir de vivre loin des frustrations, des échecs personnels comme de ceux de l'univers.

Il y a sans doute d'autres facteurs d'importance dans l'art de n'avoir jamais peur de quelqu'un ou de quelque chose; mais à la base, le premier pas à faire, le plus complet, le plus fondamental, c'est de s'abandonner et de tout confier à Dieu. Fondamentalement, ce n'est pas quelque chose que vous pouvez faire par vous-même, seul Dieu peut vraiment le faire pour vous. Oui, Dieu le peut et le fera, si vous lui permettez vraiment de contrôler toute l'activité de votre esprit et sa capacité de croire.

Des expériences spirituelles aussi intenses que celles que je viens de décrire sont très rares. Dieu seul sait pourquoi on les expérimente, à qui elles sont destinées et quand elles seront vécues; chacune est un bienfait dont j'hésiterais à faire l'analyse. Ce n'est que par une application longue et patiente des lois de la vie spirituelle telles que décrites de façon scientifique dans la pratique religieuse, qu'on peut se débarrasser de la peur et c'est là la méthode ordinaire.

Une de ces lois est celle qu'on appelle la pratique de la Présence de Dieu. La plus importante réalité parmi toutes les réalités du monde, c'est que nous, vous et moi, ne sommes pas seuls. Toute notre existence sur la terre serait absolument futile s'il n'y avait pas un Dieu pour y donner un sens et un but. Nous serions assez semblables à des enfants perdus dans l'obscure et redoutable forêt. Quelques-uns pourraient faire montre d'un peu de bravade, mais tous auraient très peur et à bon droit.

Mais il ne suffit pas de croire en théorie que Dieu existe. Une telle croyance ne vous libérera jamais de la peur jusqu'au moment où, par la pratique et l'énergie spirituelle, vous en arriviez à la conviction personnelle, profonde et évidente qu'il y a une présence qui vous guide et vous supporte, et que, grâce à elle, vous viviez avec confiance.

Et comment cela se passe-t-il? Bien, laissez-moi vous parler d'un homme que j'ai rencontré un soir où je prenais la parole dans une ville du Sud devant deux mille vendeurs. Je parlais de la confiance en soi, de la personne intégrée à son milieu et naturellement je mettais l'accent sur l'importance de maîtriser la peur.

Après mon discours un homme vint me voir dans les coulisses et se présenta comme le propriétaire d'une petite entreprise prospère au sein de la communauté. Je pus me rendre compte sur-le-champ qu'il s'agissait d'une personne dynamique et pleine d'assurance.

«Comme vous avez raison quand vous parlez de foi et de pensée positive,» dit-il, et il continua de me parler de lui-même. «Il y a quelques années, dit-il, j'ai éprouvé certaines difficultés: l'entreprise était en mauvaise posture et mon état d'esprit dans une situation encore pire. J'étais victime de la peur, je doutais de moi, j'étais indécis. Grâce à vos livres, je me suis mis à lire la Bible et pour la première fois de ma vie, j'ai appris à prier. Un jour, j'ai conclu un marché avec le Seigneur.»

Conclure un pacte avec le Seigneur?... Au moment où il m'a dit cela, j'eus un mouvement de recul car de tels propos me laissent toujours méfiant. L'expression n'est pas très heureuse, l'idée non plus. Mais je croyais que la formule de prière que cet homme continuait de me décrire était tout à fait bien. De fait, je l'ai recommandée fortement. Sa prière était substantiellement quelque chose comme ceci:

> Seigneur, la première chose que je vais Te demander, c'est une bonne santé: donne-moi un corps vigoureux. Puis donne-moi la faculté d'avoir des idées claires. Donne-moi un courage véritable de sorte que je puisse continuer d'agir dans les difficultés. Donne-moi une vraie confiance. Enfin, fais-moi seulement comprendre que Tu es avec moi, que je ne marche pas seul dans la vie. Seigneur donne-moi ces cinq choses et je ferai le reste moi-même.

«Et le Seigneur vous a-t-il donné les cinq choses que vous lui aviez demandées?»

«Oui, certainement, mais il ne me les a pas accordées sur demande,» me dit mon ami dans le style savoureux qui le caractérisait, comme je m'en rendis bientôt compte. Mais il n'admettait pas que sa religion fût simplement de surface. «Le Seigneur m'a souvent placé dans des situations de détresse et j'ai crié de douleur plus d'une fois. Mais il me laissait sentir qu'il était avec moi et cela rendait la vie beaucoup plus facile. Il avait respecté sa part entière du pacte conclu. Vous pouvez compter sur Dieu; Il ne vous laissera pas par terre si vous lui restez fidèle.»

L'homme avait l'étoffe d'un vrai philosophe spirituel, mais il était avant tout un homme pratique.

«Alors que je mettais en pratique ce que vous appelez les lois spirituelles, je me rendis compte que cela donnait des résultats, tels que vous l'aviez dit; et je ne suis pas du genre de ceux qui aiment les choses qui ne donnent pas de résultats. Naturellement, il faut savoir comment s'y prendre et ne pas cesser d'y travailler.»

«Et vous croyez vraiment que la présence de Dieu est un fait?» demandai-je de nouveau.

«Oui, certainement. Je l'ai sentie. Je la sens encore. Ne me demandez pas de quelle manière je la sens. Croyez-moi, tout simplement. Je sais qu'Il est droit avec moi. Vous n'en doutez pas, vous, n'est-ce pas?» me demanda-t-il d'un air méfiant.

Sur ces mots, nous nous sommes serré la main. Il était absolument évident qu'il ressentait la présence de Dieu. Et la conscience de cette présence à laquelle il s'était entraîné jusqu'à ce qu'il l'eût maîtrisée, l'avait libéré de la peur, et non seulement de cela, mais aussi de bien d'autres déficiences personnelles. Elle avait fait de lui un optimiste à toute épreuve.

La crainte des gens

L'entraînement à une attitude réaliste et équilibrée envers les gens est un autre facteur qui vous aidera à perdre votre peur des autres. Il est triste de savoir qu'il y a plus de gens que vous pourriez l'imaginer qui ont peur des autres. Tous ceux qui souffrent de complexes d'infériorité, de gêne, de timidité ont peur des autres.

Si vous me permettez de faire encore allusion à un fait que j'ai vécu personnellement, je devrai reconnaître que je fus en proie à une peur des autres qui fut longue et pénible. Aux jours de mon enfance, dans les petites villes de l'Ohio, le banquier local était toujours le citoyen d'importance, l'authentique «grosse légume» pour ainsi dire. Je me rappelle qu'il habitait la plus grosse maison de la rue principale. Devant sa résidence, il y avait d'immenses étendues de gazon et de très vieux arbres. L'allée privée qui y conduisait serpentait au milieu de clôtures impressionnantes jusqu'à un portique imposant. Dans ma tendre enfance, le banquier qui se donnait de grands airs allait chaque matin au centre-ville, dans un carosse traîné royalement par une paire de chevaux rutilants, bien appareillés, revenait à la maison pour le lunch (aujourd'hui, il s'agit du dîner) puis de nouveau allait à la ville et enfin revenait pour le souper. Et sans doute, il fut le premier en ville à faire pétarader son auto sur la rue Principale. Il créait une très grande impression derrière son pupitre qu'on pouvait apercevoir à travers la fenêtre de la banque devant laquelle il y avait moult salamalecs de la part de tous et de chacun qui lui étaient redevables de prêts. Cela voulait dire à peu près tout le monde en ville.

Les lundis matins, j'accompagnais souvent mon père, alors prédicateur, à la banque où le banquier en tant que trésorier de notre congrégation lui payait son salaire hebdomadaire. Le coeur battant et les mains en sueur, intimidé, je suivais mon père dans le vaste bureau du monsieur. Cela blessait profondément ma nature ultrasensible d'entendre le banquier y aller de sa vieille rengaine: «Bien, frère Peale, croyez-vous que votre sermon d'hier vaut votre salaire?» Cette question m'exaspérait toujours. Mais mon père, homme mature et poli, supportait avec joie cette plaisanterie hebdomadaire. Il savait que ce n'était pas par méchanceté. Mais moi, j'ai eu peur des banquiers pendant des années.

J'avais aussi peur de l'étudiant qui réussit bien et qui parle fort, ce genre d'étudiant beau parleur qui pouvait faire grande impression en classe. Même si je savais ma leçon, j'étais tendu, je restais bouche bée et mon coeur palpitait quand j'étais interpellé par le professeur. Et le choix de mes mots semblait gauche. J'étais si embarrassé que, même si je savais la réponse, je l'énonçais si pauvrement que l'effet était loin d'être de première valeur. En conséquence, durant des années, je fus intimidé en présence de beaux parleurs qui s'exprimaient avec autant de facilité qu'un savant, dans le jargon approprié. Je n'ai pratiquement pas entendu parler de ces «brillants» étudiants depuis leur sortie de l'école; c'est triste, mais c'est un fait.

Je fus délivré de la peur parce que d'abord et avant tout j'ai appris à me servir du pouvoir créateur de la pensée positive. Ella Wheeler Wilcox donne une très bonne description de ce que peut vouloir dire pour vous une pensée correcte.

> L'homme est ce qu'il pense. Non pas ce qu'il dit, lit ou entend. Vous pouvez vous libérer de n'importe quelle entrave, que ce soit la pauvreté, le péché, la mauvaise santé, le chagrin ou la peur.

Il n'y a qu'un seul schème de pensée qui soit plus fort que la peur, un seul qui soit absolument plus fort que la peur et c'est la foi. Et il ne s'agit pas de la foi en général, mais de la foi en quelqu'un. C'est la foi en Dieu, la foi humble et réelle en Dieu votre Père.

Permettez-moi de clore ce chapitre par une description qui illustre la sorte de foi capable de guérir d'un état de peur. J'ai tenu une fois entre mes mains une Bible qu'on disait avoir servir à Abraham Lincoln durant la guerre civile. C'était une grosse Bible d'apparence rugueuse. Je crus que cette apparence s'harmonisait bien avec le caractère de Lincoln lui-même. La Bible s'ouvrit à la page du psaume 34; Lincoln semblait avoir beaucoup réfléchi à un verset en particulier, car, dans la marge, il y avait un endroit dentelé et sale qui indiquait selon toutes probabilités que le doigt du libérateur s'était souvent arrêté au quatrième verset: «*Je cherche Yahvé, il me répond et de toutes mes frayeurs me délivre.*» (Psaume 34: 4)

De fait, le Seigneur fera exactement cela, n'ayez donc jamais plus peur de quelqu'un ou de quelque chose dans la vie.

Contenu des enseignements de ce chapitre

1. N'ayez jamais peur de quelqu'un ou de quelque chose.
2. Ayez un ensemble de croyances solides et vigoureuses.
3. Passez de la peur à la foi dans votre vie, et la peur va disparaître.
4. Ne soyez jamais intimidé par des gens qui s'affirment et parlent fort ou par des circonstances contre lesquelles vous ne pouvez rien. Dans le calme, continuez de vivre votre foi d'une façon positive.
5. Lisez des écrits spirituels qui vous aideront à vous affirmer et vous transformeront à l'image du Tout-Puissant qui agit en vous.
6. Abandonnez-vous et laissez le Seigneur agir. Laissez-le prendre la relève dans votre vie et la conduire. Il sait comment faire.
7. Apprenez à devenir un penseur positif. Laissez tomber une à une chaque pensée négative. Soyez toujours

conscient que la pensée positive a des réponses victorieuses à l'époque où nous vivons.

8. N'oubliez jamais les mots du psaume 34: «*Je cherche Yahvé, il me répond et de toutes mes frayeurs me délivre.*»

L'art de vivre heureux avec soi-même

Il n'avait aucune idée de ce qui allait lui arriver quand il ouvrit la porte. Et il était loin d'y être préparé. Néanmoins, il s'en tira avec satisfaction bien qu'il eût un pressant besoin d'être aidé. Ce jeune pasteur et son épouse plus jeune encore avaient emménagé dans ce presbytère de campagne trois jours auparavant. C'était un petit village avec une petite église blanche voisine du modeste presbytère. Le jeune couple venait de se mettre à table pour dîner quand on entendit le timbre de la porte.

Le visiteur apparemment dans la trentaine donnait l'impression d'être un agent de publicité. Il était évident que son tailleur, sans doute un expert, savait revêtir son homme d'habits qui lui allaient comme un gant. Les épaules larges, la taille fine, on aurait pu le prendre pour un membre des Ivy Leagues*. Sa perspicacité raffinée aurait sans doute fait de lui un phénix dans un cocktail. Une chic voiture sport était stationnée en bordure du trottoir.

«Vous ne me connaissez pas, dit-il, je demeure à X (mentionnant une ville pas trop éloignée), mais je suis mal pris,

* N. du T.: Groupe restreint sorti des universités aristocratiques de la Nouvelle-Angleterre, telles que Harvard, Yale, Princeton.

vraiment mal pris.» Ses traits tirés en étaient la preuve. «Je tourne en ronds depuis des heures et je suis épuisé.»

Le pasteur le fit entrer et lui offrit de s'asseoir. Alors le visiteur poursuivit: «Il me fallait parler à quelqu'un qui comprenne et pourrait garder un secret absolu. Je suis épuisé, complètement abattu. Je ne vois aucun espoir, aucun moyen d'en sortir. De fait, je pourrais aussi bien vous dire que vous êtes mon dernier recours. Si vous ne pouvez pas m'aider et si je peux en avoir le courage, je vais en finir avec moi-même.»

Ce qu'il voulait dire était évident, même pour le jeune pasteur inexpérimenté. «Comment se fait-il que vous soyez venu ici?» demanda-t-il, se ménageant du temps pour adopter une ligne de conduite.

«Je me promenais dans les environs, depuis combien de temps, je ne sais pas, quand j'aperçus par hasard l'église. Pourquoi m'y suis-je arrêté, je ne le sais pas; c'est peut-être parce qu'enfant, j'avais reçu mon éducation à la Sunday School et à l'église. De toute façon, je voulais simplement m'arrêter.»

«Qu'est-ce qui vous tracasse?» demanda le jeune pasteur.

«Je ne le sais vraiment pas... Je suis profondément déprimé. Je me déteste. De fait, je suis tellement écoeuré de moi que je ne veux plus me voir. Que pouvez-vous faire pour moi, mon révérend?»

Eh bien, une chose était certaine: le révérend ne savait pas quoi faire. Pendant ce temps, le dîner refroidissait, mais la jeune femme prit la chose en philosophe; elle remit le repas de son mari au four et mangea le sien.

«Je vais vous le dire, dit le révérend. Assoyez-vous ici et détendez-vous quelques instants.» Il appela son épouse: «S'il te plaît, chérie, apporte une tasse de café chaud à notre ami, ici.

«Prenez ce café, il vous fera du bien. Et pendant ce temps-là, je vais aller à la pièce arrière pour une brève consultation. Je reviens tout de suite.»

Dans la pièce arrière, il se tint debout près de la fenêtre, mais ne vit rien. Il était un homme, un vrai; au collège il avait été un athlète; il était le type du leader populaire. Au début, il avait été attiré par le ministère parce qu'un conférencier à l'université lui avait transmis «une vive sollicitude pour le monde».

La première chose qu'il sut, il était au séminaire, essayant de se découvrir; mais au plus profond de lui-même il n'en sortait que plus confus. Il était encore à la recherche de lui-même et ce moi qu'il pourchassait lui échappait.

Quoique ministre, il se laissa aller à son langage de tous les jours: «Pour de bon, en voilà un pas ordinaire. Sapristi! Je n'ai pas encore commencé mes fonctions et voilà que m'arrive ce type qui me «garroche»* son problème en pleine face. Et pire encore, qu'est-ce que j'en connais?»

Rapidement, il repassa en esprit ses cours du séminaire, essayant désespérément d'y trouver une idée pratique qui pourrait servir dans un problème particulier comme celui-ci. «Rien, si ce n'est de la philosophie, de la sociologie, de l'action sociale. D'accord, tout cela est peut-être bon, mais ça ne

* N. du T.: Canadianisme pour lancer.

vaut rien pour le moment. Pourquoi diable ces professeurs ne m'ont-ils même pas dit comment comprendre, comment aider un être humain? À quoi bon tout ce lourd bagage social, si je ne peux pas aider un pauvre type? Pourquoi ne sortent-ils pas de leurs classes et ne vont-ils pas apprendre la vie sur place? Mon Dieu! je suis une perte totale. Je n'ai aucune idée dans ma tête», dit-il en gémissant.

Une prière réaliste

Alors il fit cette «consultation» dont il avait parlé. Il pria et même sa prière fut réaliste. «Seigneur, je ne sais ni que dire ni que faire. Dis-moi je t'en prie quoi dire à cet ami. Amen.»

Si vous me demandez mon avis, voilà le genre de prière que le Seigneur aime. C'était un exposé succinct d'un besoin réel, soumis avec humilité et foi véritable. Et de fait, le Seigneur lui a vraiment révélé quoi dire à «cet ami» et la manière de le lui dire avec efficacité. Même si ses connaissances n'étaient pas très étendues, le pasteur s'est comporté comme un véritable être humain et voilà sans doute l'élément fondamental pour aider les autres.

Grâce à sa «consultation-prière» dans la pièce arrière, le pasteur eut cette inspiration précise qu'il devait s'asseoir avec cet homme et causer avec lui.

Il allait aussi réaliser que ce dont avait besoin ce compagnon qui ne s'aimait pas, c'était d'avoir quelqu'un qui lui manifesterait un véritable intérêt, une véritable sollicitude et même plus, qui lui montrerait de l'estime, qui restaurerait la foi dans son moi vacillant. Enfin, il allait réaliser qu'il lui faudrait rebâtir l'espérance de cet homme et l'assurer que Dieu l'aiderait. Il allait réaliser qu'il lui fallait essayer d'introduire Dieu dans la vie de cet homme comme un facteur important.

Il retourna donc dans le vivoir et installa son long corps sur une chaise dans une posture décontractée, comme s'il avait tout le temps du monde devant lui. Sa manière d'agir sembla détendre quelque peu son visiteur; celui-ci commença à parler d'abord d'une voix hésitante, puis entra dans le vif du sujet, énumérant les conflits, les défaillances morales, les malhonnêtetés capables vraiment de saper l'amour qu'il se portait. Le pasteur l'écoutait avec bienveillance et en même temps lui donnait délibérément des marques d'estime. Il mettait en pratique la technique de Frank Laubach qui consiste à réciter en silence des oraisons jaculatoires pour son visiteur. Quel était le problème de cet homme? Un des plus complexes, celui où l'amour ou le respect de soi ont été réduits à néant par des violations répétées de la morale fondamentale avec laquelle il avait essayé de différer d'opinion sans réussir.

Après l'avoir écouté durant une heure, le ministre s'étira et dit: «J'ai une faim de loup. Vous-même devez être affamé.»

S'adressant à son épouse, il dit: «Chérie, crois-tu pouvoir secourir deux individus qui meurent de faim?»

«Certainement, répondit-elle de la cuisine, j'arrive dans une minute.»

Quelques instants plus tard, les deux hommes cessaient de causer du problème, tout particulièrement le visiteur qui manifesta son soulagement mental en réaffirmant qu'il avait faim. Les deux hommes plaisantaient et s'amusaient un peu et avant la fin du repas, ils s'appelaient l'un l'autre par leur prénom. Le visiteur, c'était Sam et le pasteur, Chuck. À vingt-trois heures, Sam et Chuck se tenaient debout à l'extérieur près de la chic voiture sport de marque étrangère. «Sam, avant ton départ, j'aimerais te dire encore une chose. Tu te sens beaucoup mieux maintenant parce que tu as trouvé un ami avec qui partager tes tracas et parce que tu ressens un support humain authentique. Mais Sam, cela ne suffit pas. Il nous faut faire un transfert affectif de ton amitié pour moi, un humain, à un autre Ami qui peut t'accompagner en toutes circonstances et être ton guide dans cette nouvelle vie dans laquelle tu t'engages.»

«Je te comprends, Chuck, et j'aimerais cela.»

C'est ainsi que les deux copains se mirent à prier debout sous les rayons d'une lune argentée. Dans une très brève prière, Chuck dit: «Seigneur, prends possession de Sam et accompagne-le. Aide-le réellement à Te laisser conduire sa vie.» Puis, il dit: «Maintenant, Sam, à toi de prier.»

«Tu veux dire, à haute voix? Je n'ai jamais fait cela de ma vie.»

«Je sais, c'est maintenant le temps de commencer; de plus, nous sommes des amis, n'est-ce pas?»

Après une longue hésitation, Sam dit: «Cher Seigneur, merci pour Chuck. C'est certainement Toi qui m'as conduit vers lui. J'ai besoin de Toi. Prends possession de moi et conduis ma vie. Je T'en prie, aide-moi. Amen.»

Après que Sam eut disparu à toute vitesse dans le lointain, Chuck marcha de long en large en face de sa petite église, ivre de joie comme jamais auparavant. Des larmes jaillirent de ses yeux. Il se sentit soudainement amoureux du monde entier et tout particulièrement de sa petite église, resplendissante de blancheur dans le clair de lune.

«Sapristi, dit-il à haute voix, pour rien au monde, je n'aurais voulu manquer cette chance d'être ministre. Merci, Seigneur, de m'avoir amené Sam. Je ne le quitterai pas avant qu'il T'ait vraiment trouvé et alors, lui et moi aiderons les autres pour des années à venir.»

En deux bonds il fut dans la maison et surprenant sa femme, il la souleva de terre et dansa avec elle autour de la pièce. «Arrête, arrête, cria-t-elle, je suis hors d'haleine. Mais qu'est-ce qui te prend?»

«Oh, chérie, qu'il est merveilleux, tout simplement merveilleux, ce ministère. Ce soir, Dieu était dans cette maison.»

Elle s'arrêta devant lui. «Laisse-moi te regarder, Chuck, mon amour. Jamais auparavant ai-je vu un tel regard sur ta figure. C'est simplement merveilleux. Tu es absolument tout feu, tout flamme.» Puis avec une grande douceur: «Je t'ai vu sous un nouveau jour. Mon Chuck est vraiment l'homme de Dieu.» Ce soir-là, Chuck est devenu un optimiste à toute épreuve.

Dans son premier cas, alors que Chuck débutait comme médecin des âmes, il eut affaire à un homme qui en était arrivé à une aversion anormale de lui-même, fruit d'un mode de pensée et de vie erroné. De ce processus d'évolution spirituelle qui apporta éventuellement un renouveau de vie à Sam, Chuck en tira une formule qui s'est avérée utile à plusieurs. La voici: 1) Apprends réellement à te connaître. 2) Apprends réellement à t'estimer. 3) Apprends réellement à laisser Dieu conduire ta vie.

Acquérir une estime normale de soi

Quand nous pensons à des personnes dont le moi ne semble pas sous-développé et qui ont l'air de s'aimer beaucoup elles-mêmes, il pourrait paraître tout à fait inutile de stimuler un plus grand développement de l'amour qu'elles se portent. Mais il ne s'agit pas d'un amour désordonné de soi, ni d'une admiration exagérée du moi que nous encourageons, mais plutôt d'un amour simple et normal, caractéristique d'une personne bien équilibrée.

Cette assurance orgueilleuse qu'on appelle communément égotisme est plus souvent qu'autrement un sentiment d'infériorité camouflé et une haine de soi. Ceux qui cultivent le moi de façon agressive sont souvent les plus insécures. Le culte de soi joue le rôle d'un écran protecteur de la personnalité et vient suppléer au manque de confiance en soi. C'est une méthode douteuse que recherche la personnalité pour camoufler l'état de celui qui n'est pas heureux avec lui-même.

Avoir du dégoût pour soi est un problème largement répandu chez les humains et compte pour beaucoup dans les blessures que nous nous infligeons à nous et aux autres.

William Nichols, rédacteur en chef du magazine *This Week,* a choisi quelques extraits de livres qu'il a alors publiés sous le titre de *Words to Live By*. Un de ces extraits, tiré d'un livre de John Steinbeck, fait la description d'un homme qui souffre de ne pas s'aimer.

> «Pendant très longtemps, je ne me suis pas aimé... pour des raisons multiples, les unes valables, les autres purement fantaisistes.
>
> «Puis, peu à peu, dit-il, j'ai eu la surprise de découvrir que beaucoup de gens m'aimaient. Et je me disais que s'ils peuvent m'aimer, pourquoi ne suis-je pas capable de m'aimer moi-même? Petit à petit, j'ai appris à m'aimer et alors les choses sont rentrées dans l'ordre.»

...Il voulait tout simplement dire qu'il avait appris à accepter et à aimer Ed, l'individu, comme il aimait les autres... La plupart des gens ne s'aiment pas du tout.

Une fois qu'Ed fut capable de s'aimer, ce fut comme une libération de sa prison intérieure, celle du mépris de soi.

Maxwell Maltz, M.D., démontre comment l'amour de nous-même est fonction de l'image que nous nous faisons de nous-même.

L'image que nous entretenons de nous-même est la clé qui nous mène soit au succès, soit à l'échec de nos plans et aspirations les plus chers. Si cette image n'est pas satisfaisante - et les psychologues disent qu'habituellement la plupart d'entre nous se sous-estiment - il nous incombe de corriger ce jugement. On fait cela en imaginant de façon systématique qu'on est déjà la sorte de personne qu'on désire être. Si votre timidité vous a fait souffrir, représentez-vous déambulant au milieu de gens avec facilité et aplomb. Si vous avez été craintif, superanxieux, représentez-vous vous comportant avec calme, confiance et courage.

Si nous nous représentons en train d'agir d'une certaine façon, cet exercice imaginaire impressionne presque autant notre subconscient qu'une véritable performance.

Déshypnotisez-vous. La conception que nous nous faisons de nous-même nous impose souvent des limites rigides et tout à fait fausses à ce que nous sommes capables de faire. Alors qu'il était écolier, le docteur Alfred Adler, psychiatre renommé, avait mal débuté en arithmétique. Son professeur devint convaincu qu'il était bouché en mathématiques. Adler accepta sans réagir cette évaluation et ses notes semblaient en être la preuve. Un jour cependant, son esprit s'éclaira soudainement et il annonça qu'il pensait pouvoir résoudre le problème que le professeur avait mis au tableau et qu'aucun autre élève n'avait pu solutionner. La classe entière se mit à rire. Devant cette réaction, il éprouva une vive indignation, courut au tableau et solutionna le problème. Ce geste lui fit réaliser qu'il pouvait comprendre l'arithmétique. Il eut désormais confiance en son talent et à compter de ce jour, il devint un bon étudiant en mathématiques.

De fait, Adler avait été hypnotisé parce qu'il se croyait à tort incapable. Il avait vraiment vécu le phénomène de l'hypnose de façon réelle et non symbolique. Car la force de l'hypnose vient de la puissance de la croyance. Si vous avez accepté une idée, la vôtre, celle de vos professeurs, parents, amis ou de quelqu'un d'autre, et si vous êtes convaincu que cette idée est vraie, cette idée a le même pouvoir sur vous que les paroles de l'hypnotiseur sur son sujet.

Une pensée négative, si nous l'acceptons, peut nous créer des limites. Et réciproquement, vous avez en vous le pouvoir de réaliser des choses que vous n'aviez jamais cru possibles.

Et, sans doute, quand vous connaissez vos capacités, quand vous savez les apprécier et vous en servir, cette connaissance que vous avez de vous-même fait croître votre estime pour vous et il en résulte que vous vous aimez de plus en plus.

Le dégoût de soi aboutit souvent à une dépression mentale ou nerveuse ou à d'autres formes d'évasion du réel. On peut même perdre la raison si ce dégoût de soi devient suffisamment intense. C'est un médecin qui déclarait que les hôpitaux psychiatriques sont remplis de gens qui ont ce dégoût d'eux-mêmes, voire même se haïssent. Plusieurs se suicident comme suprême évasion.

Dans les cas moins graves, les gens n'aiment pas leur apparence, se veulent plus grands, plus petits, plus lourds ou plus légers. Ils ont très peu confiance en eux-mêmes parce qu'ils sont timides, se déprécient et doutent d'eux-mêmes. Souvent ineptes et maladroits, agissant de façon gauche, faisant même des stupidités, ils deviennent aigris, non contre les autres mais contre eux-mêmes. Ils se tombent sur les nerfs, me direz-vous. Ils n'ont pas de plaisir avec eux-mêmes. Ils en ont assez d'eux-mêmes. Ils sont pour eux-mêmes source d'ennui et ils sont fatigués de ce qu'ils pensent être. Le docteur Maltz dit plus loin:

> Chacun de nous se fait de lui-même une image mentale, une image qui régit presque toute sa conduite et sa conception de la vie. Pour que la vie vous satisfasse suffisamment, il vous faut une image de vous-même avec laquelle vous puissiez vivre. Vous devez vous trouver acceptable. Vous devez posséder un moi que vous aimez, un moi en qui vous avez foi et confiance. Si votre propre image est de celle dont vous pouvez être fier, vous avez confiance en vous. Vous avez un rendement maximal.

Il vous faut vivre avec vous-même

Chaque fois que je m'arrête à ce problème de la nature humaine qu'est le dégoût de soi, je me rappelle toujours ce malheureux, harassé, qui manifestait sa colère en disant: «Je donnerais l'équivalent de six mois de salaire (et c'était là une très belle métaphore) si je pouvais seulement prendre deux semaines de vacances loin de moi-même.» Mais évidemment, cela n'est pas possible. Vous êtes pour toujours enchaîné à vous-même. L'expression est juste: vous-même. Il est vôtre pour toujours. Aucune fuite possible, aucune alternative, aucune sortie. Il vous faut vivre avec vous-même à chaque minute du jour et de la nuit et cela aussi longtemps que vous vivez. Vous ne pouvez jamais vous libérer de vous-même, de cette troisième entité du corps, de l'esprit, de l'âme qui a nom «vous». Il se peut que ce soit pénible, désagréable, mais il en est ainsi; vous êtes indissolublement lié à vous-même.

Puisqu'on ne peut éluder ce fait, il vous reste simplement à apprendre à vivre avec vous-même dans un certain climat de paix et de bonheur, *au moins* la plupart du temps. Ce qualificatif «au moins la plupart du temps» a pour but de vous faire prendre connaissance de ce fait réel que même chez une personnalité normale, bien équilibrée, il y a toujours au sein de la nature humaine un sentiment vague d'insatisfaction qui la tourmente. Chez l'individu parfaitement équilibré, ce sentiment ne dure pas et n'est certainement pas dominant, mais il y aura des moments, ou peut-être des fractions de moment, où l'insatisfaction se manifestera. On ne peut pas l'éviter. Il y aura probablement toujours une certaine insatisfaction présente en vous.

En réalité, il se peut que le Créateur ait placé ce facteur d'insatisfaction dans la nature humaine pour nous empêcher de devenir suffisant et trop content de nous-même. Quelque ennuyeux qu'il puisse être, il est important que subsiste en nous un certain degré d'insatisfaction pour conserver une impulsion continue, une motivation sans lesquelles il serait impossible de poursuivre des idéaux. Un certain degré d'insatisfaction de vous-même équilibre votre personnalité et vous assure d'un succès accru dans la vie. Une personne trop satisfaite d'elle-même ne va jamais très loin ou stagnera après le succès.

L'art de vous aimer

Comment pouvez-vous apprendre l'art de vous aimer? Tout simplement en apprenant à vous connaître. Il se peut que vous n'aimiez pas quelqu'un, mais quand vous commencez à connaître cette personne vous vous apercevez que vous l'aimez au fur et à mesure que vous la connaissez. Il est reconnu qu'un dédain marqué de l'autre repose sur une connaissance incomplète, donc non fondée.

La même loi de la nature humaine s'applique aux relations que vous entretenez avec vous-même. Au fur et à mesure que vous apprendrez à vous connaître vraiment, vous découvrirez au plus profond de vous-même des qualités que vous n'aviez jamais su posséder. Vous vous rendrez compte que vous êtes plus aimable que vous ne le pensiez et ainsi l'opinion que vous avez de vous s'améliorera jusqu'à ce qu'enfin vous aimiez vraiment vivre avec vous-même.

Apprendre à vivre avec vous-même est une valeur utile. Puisqu'il vous faut passer beaucoup de temps avec vous-même, vous devriez retirer quelque satisfaction de cette relation. C'est peu sensé d'être en désharmonie avec vous-même ou de vous quereller avec votre personnalité, spécialement quand ce n'est pas nécessaire de le faire. Donc, il est tout simplement sage d'être en bons termes avec vous-même.

Pour en arriver là, analysez-vous honnêtement et en profondeur en effectuant une étude d'ensemble de vous-même. Voyez à étudier vos meilleurs côtés. Puis alors fabriquez-vous la meilleure image mentale de vous-même, la plus aimable. Faites-vous une idée de votre entité en essayant d'en avoir une image clairement définie dans votre esprit. Continuez sans cesse de conserver cette image mentale en l'incrustant fermement dans votre conscience. Représentez-la-vous alors qu'elle aurait un absolu contrôle de votre personnalité. Dans l'hypothèse où vous croirez à cette formule et la mettrez en pratique, la meilleure image de vous-même deviendra réalité. En effet, elle a tendance à devenir réelle quand on l'appuie consciemment de tout son être.

Rappelez-vous ces mots remplis de sens du sage Marc Aurèle: «L'âme prend la couleur de ses pensées.» Il vous rappelle que selon votre manière de penser, vous pouvez choisir pour votre vie la coloration que vous désirez et l'actualiser par le genre de pensées que vous entretenez d'ordinaire. Il y a un vieux proverbe oriental qui dit: «Ce à quoi vous pensez, croît.» Vous pouvez vous faire une image de la personne charmante que vous désirez être.

Mais il y a ici quelque chose en jeu de plus important que d'essayer de vous aimer en créant chez vous une meilleure image, une image plus aimable. Je dois vous avertir que votre pire ego est un très mauvais client et ne le laissez jamais prendre le contrôle en négligeant de le surveiller. De fait, votre pire ego est rempli du vieil Adam. Plusieurs milliers d'années de manières d'agir soi-disant civilisées, l'ont simplement revêtu d'une fausse beauté. Voyons les choses en face: sous ce mince revêtement il est amoral, sans éthique, immoral, prédateur, agressif et autres qualificatifs que vous pouvez imaginer pour décrire la nature humaine sans gants blancs.

Que le meilleur chez vous prenne le contrôle

N'allez pas croire que vous n'avez pas une nature humaine extravagante quelle qu'en soit la beauté. Ses freins peuvent se briser et elle peut tout gâcher. Le seul élément de sécurité contre le pire en vous, c'est une maîtrise énergique de ce qu'il y a de mieux en vous pour le maintenir ainsi; en effet, ce qu'il y a de meilleur en vous ne vient pas du vieil Adam. En réalité, c'est Dieu qui est présent en vous.

Donc, en vous aimant vous-même, il est de première importance d'aimer Dieu puisque Dieu est au plus profond de votre nature. Au fur et à mesure que vous apprenez à connaître Dieu, vous vous connaîtrez mieux et vous vous aimerez davantage. Et quand je dis que l'amour de Dieu conduit en dernière instance à un amour normal de soi, je ne parle pas en théorie mais en fait.

Lisez la lettre suivante de Philippe X qui vit au Bronx dans la ville de New York. Si on en juge par sa lettre, Philippe est un adolescent très intelligent. Les adolescents, comme vous le savez, vivent parfois des moments vraiment terribles avec eux-mêmes. C'est peut-être dû à la croissance et autres choses semblables, mais il leur arrive de passer de l'état d'euphorie aux profondeurs du désespoir en un rien de temps. Et quand, moralement, ils font fausse route, ils sont vraiment dans une grande confusion. De nombreux adolescents m'ont dit, et c'était bien ce qu'ils voulaient dire, qu'ils ne s'aimaient pas plus que n'importe quel autre groupe d'humains ou presque. Mais je vous en prie, lisez la lettre de Philippe.

Cher docteur Peale,

Je viens de terminer la lecture de votre livre *The Amazing Results of Positive Thinking* et j'y ai trouvé une réponse positive à la plupart de mes problèmes, spécialement au chapitre «You Can Become Stronger in Your Weakest Place» (vous pouvez renforcir vos points les plus faibles).

Comme tout adolescent, j'ai beaucoup douté de moi-même et je doute encore. J'avais l'impression de ne pas être à la hauteur, d'être anormal, inutile, etc. À cause de ces sentiments, j'ai vécu la pire dépression de ma vie. Ce fut une torture insupportable. Je me sentais rejeté de tout le monde, même de Dieu à cause de mes fautes. J'étais tellement malheureux que j'ai même maudit Dieu.

Mais bientôt, j'ai commencé à me pencher sur mon passé, je me suis examiné et j'ai mis l'accent sur mes bons côtés. J'ai cessé de penser à moi pour penser aux autres. Je me suis inscrit à des organismes et j'ai commencé à aider les autres et ce fut merveilleux. J'ai commencé à me concentrer sur mes études pour renforcer mes bons côtés. J'ai découvert que les autres commençaient à m'aimer davantage pour tout ce que je faisais; je ne me sentais plus rejeté et qui plus est, je m'aimais beaucoup plus.

J'ai découvert Dieu et je L'ai découvert comme dans une nouvelle révélation. On aurait dit que je le voyais en personne. J'ai trouvé une place dans son univers.

Toutes ces choses me sont arrivées avant que je ne lise votre livre. Après l'avoir lu, j'eus de fait la preuve que j'avais raison et qu'il y en avait d'autres qui souffraient aussi.

Que cette lettre en soit tout simplement une autre ajoutée à tout ce qui peut confirmer votre philosophie de la pensée positive.

Il n'est pas surprenant que Tolstoï ait dit: «Il faut vivre pour connaître Dieu.» Il est absolument certain que connaître Dieu, c'est l'aimer, et cet amour vous conduit à vous connaître vous-même et en dernier ressort à vous aimer. C'est tout simplement naturel quand on y pense, car si Dieu nous a créé, il s'est rendu présent en nous comme nous l'avons déjà signalé. Quand vous restez uni à Dieu, vous êtes donc en harmonie fondamentale avec vous-même; mais quand vous restez séparé de Dieu, vous vous éloignez de fait de vous-même. Votre moi se trouve alors dans un étrange état, un état qui n'est pas naturel et dont vous n'êtes tout simplement pas content. Et ainsi, après quelque temps, vous commencez à vous détester vraiment, mais ce que vous détestez réellement, c'est l'hypocrite en vous.

Quand donc vous retournez à Dieu, vous retournez à votre vraie identité. Vous êtes enfin de retour à la maison, uni dans la joie au moi naturel que vous pouvez aimer. C'est exactement ce qui est arrivé à Philippe X du Bronx. Maintenant il s'aime lui-même, il est très heureux et la vie est belle.

L'estime de soi est un autre élément qui vous permet de vous connaître et par conséquent de vous aimer. L'estime de soi, c'est vital pour remporter du succès comme personne. Tennyson parle du «respect de soi, de la connaissance de soi et du contrôle de soi, seuls ces trois aspects permettent à la vie d'acquérir un pouvoir souverain.»

L'estime de soi est une chose dont la personnalité ne peut se passer. Elle est profondément enracinée dans le moi lui-même et, de fait, est vraiment reliée à l'identité fondamentale. Et quand l'identité de base est dépréciée, surtout par soi-même, c'est peut-être l'un des plus grands coups portés à la personnalité. Dans les profondeurs de la nature humaine, il y a un sens fondamental du sacré à l'égard de chaque personne. Dans chaque personne, il y a un point essentiel de dignité humaine qui ne doit jamais être violé, et ce point, c'est cet espace intérieur de la conscience où Dieu habite. S'il y a violation, cela représente un dommage extraordinaire, sérieux pour l'individu. Quand cela arrive à un homme ou à une femme, cette personne endure la forme de dégoût de soi la plus douloureuse et il en résulte une détérioration de la personne.

Drame humain vécu

Permettez-moi de vous parler d'un drame profondément humain qui illustre comment la perte de l'estime de soi peut causer un dégoût aigu de soi, tellement aigu qu'il peut mener presque à l'autodestruction. Heureusement, l'histoire présente aussi un aspect positif. Je crois qu'elle aura plus de sens pour vous si je laisse cette femme la raconter elle-même en ses propres mots, telle qu'elle l'a écrite pour notre magazine *Guideposts*. L'article est évidemment anonyme.

> C'était l'automne. Les collines qui entouraient la ville où nous vivions étincelaient de pourpre et d'or. Mais j'étais loin de me soucier des saisons. Tout au long du long été chaud, un sentiment de culpabilité et d'indignité m'avait minée. La raison en était tout à fait simple. Le printemps précédent, j'avais fait quelque chose de mal. J'avais été infidèle à mon mari.
>
> Mon mari ne le savait pas. Personne ne le savait sauf mon complice... et je ne le voyais plus. Il y avait peut-être des circonstances atténuantes. Peut-être que non. Mais j'avais péché contre le septième commandement, et à partir de ce moment-là, je me détestai. J'allais à l'église. Je priais. Je demandais à Dieu de me pardonner. Mais je ne pouvais pas me pardonner à moi-même.
>
> Je ne disais rien à personne; j'avais trop honte. Mais il n'était pas certain que l'autre homme impliqué était aussi silencieux. J'ai commencé à m'imaginer qu'une certaine froideur était apparue chez certains de mes amis. Je croyais ressentir une certaine attitude distante chez ma mère. Je commençais à être sûre que le secret de ma culpabilité n'était plus un secret.

Au fur et à mesure que l'été avançait, mon imagination morbide devenait plus violente. Je me souviens que le jour de mon anniversaire de naissance, quelqu'un m'envoya une carte de souhaits avec l'inscription «une heureuse rencontre». La lettre A était en majuscule et écrite à l'encre rouge. Pour moi, c'était la lettre écarlate A pour Adultère. De mes doigts tremblants, je déchirai la lettre.

Mon éducation m'avait laissé une conscience sévère, exigeante, trop sévère, trop exigeante. Maintenant, ma raison, mon sens des valeurs, tout s'écroulait sous cette pression implacable. Je ne pouvais pas penser, je ne pouvais que ressentir. J'ai perdu du poids. Je ne pouvais pas dormir.

Mon mari me pressa de voir un médecin, mais j'ai refusé. Je commençais à croire que mon mari aussi connaissait mon secret et j'avais peur qu'en allant chez le médecin, lui aussi saurait, ferait ou dirait quelque chose qui manifesterait sa conviction que j'étais indigne, que je n'étais pas chaste; incapable d'être une épouse ou une mère. Je vivais en enfer, un enfer que j'avais créé moi-même.

Et c'est ce que mon mari me dit un jour qui déclencha mon geste final. Il lisait dans le journal l'histoire d'une femme qui avait quitté sa famille et s'était enfuie avec un autre homme. «Bon débarras, dit-il. Ils seront mieux sans elle!»

Je sentis une sueur froide m'étreindre; mon mari me disait qu'il savait mon secret et qu'il voulait se débarrasser de moi.

Dans un cerveau en désordre, il peut y avoir une logique qui intimide. La femme qui était partie avec son amant, me dis-je, était plus honnête, moins hypocrite que moi. Mon mari croyait qu'elle méritait de perdre sa famille. Quel châtiment, alors, devrait m'être assigné à moi dont toute la vie était devenue un mensonge? Je me posais cette question avec une intensité qui me faisait énormément souffrir et quelque part au-dedans de moi, une voix semblait répondre comme le son lourd d'une cloche qui tinte: «Tu n'es plus bonne à personne. Tu apportes le déshonneur à ta famille. Il faut que tu disparaisses totalement. Alors ils pourraient recommencer une nouvelle vie sans toi.»

Sans dire un mot à personne, je montai dans ma chambre et préparai une petite valise. Je pris une longueur de corde et la descendis au sol à partir de la fenêtre de la chambre à coucher. Je redescendis, passai devant de mon mari, me dirigeai vers la cuisine et je sortis par la porte arrière. J'allai au centre-ville et m'enregistrai sous un nom d'emprunt dans le plus grand hôtel de la ville.

Tentative de suicide

Ma chambre était au cinquième étage. J'avais peur que ce ne fut pas assez haut. Je me dirigeai vers la fenêtre et regardai en bas. La rue au-dessous était sombre mais je pouvais voir les lumières du trafic. J'étais terrifiée à la pensée de mourir, mais la voix intérieure se faisait plus forte, plus féroce, plus implacable, me disant que j'étais incapable d'être un membre de la race humaine.

Je m'assis au bureau et j'écrivis une note à mon mari, lui disant que je l'aimais lui et les enfants, mais qu'il en serait mieux ainsi. Je pleurais en écrivant ces lignes, mais je les écrivis. La voix ne cessait de me répéter: «Vite, vite.» J'ouvris la fenêtre et fermai mes yeux; je n'ai pas osé regarder en bas. «Mon Dieu», dis-je à haute voix; et me retournant, je m'assis sur le rebord de la fenêtre et me laissai tomber à la renverse dans le vide obscur.

Je suis tombée du cinquième étage; j'attendais l'impact du pavé, pour rien, pour oublier. Mais je m'écrasai sur le toit d'une convertible stationnée en cet endroit. Je tombai sur le siège arrière de la voiture après avoir traversé son toit de toile. J'ai senti une douleur atroce dans mon dos et mes jambes. Puis je m'évanouis.

Je m'éveillai dans une paisible chambre d'hôpital. J'essayai de me mouvoir et je ne le pus. On m'avait plâtrée de la taille aux pieds. Un homme vêtu d'une veste blanche me regardait. C'était un tout jeune homme, aux yeux doux et sympathiques. «Je suis votre médecin, dit-il. Comment vous sentez-vous?» Une vague de désespoir déferla sur moi. J'étais toujours vivante, telle une misérable maladroite: j'avais manqué mon coup même pour en finir avec moi. La mort elle-même ne voulait pas de moi. J'ai senti des larmes brûlantes irriter mes yeux. «Oh, mon Dieu, dis-je. Ô mon Dieu, pardonnez-moi.»

Le jeune médecin mit sa main sur mon front. «Il vous pardonnera, dit-il calmement. Ne vous inquiétez de rien. Nous allons vous aider à apprendre à vous aimer de nouveau.»

Vous aimer de nouveau. Je n'ai jamais oublié ces paroles; elles furent la clef qui m'ouvrit la porte de la prison de cette haine de moi que j'avais érigée autour de moi. Elle contenait la vérité qui finalement m'a rendu possible la restructuration de ma vie.»

C'est le cas extrême d'une personne qui se détestait tellement qu'elle ne pouvait plus se supporter plus longtemps.

Heureusement, peu de gens souffrent avec autant de violence. Mais il y en a beaucoup qui sont affligés d'un problème similaire de personnalité à un degré moindre. Ils ne sont pas bien dans leur peau et il en résulte qu'ils ont perdu une grande partie de la joie de vivre avec eux-mêmes qu'ils avaient expérimentée auparavant.

Point n'est besoin à quiconque de continuer dans ce malheureux état d'esprit. Pour en sortir, il faut en premier lieu le vouloir, puis, en second, se faire aider par un bon spécialiste en counselling, par un ministre, par un conseiller spirituel sage, peut-être par un médecin ou un psychiatre, à condition que ce dernier comprenne quelque chose au spirituel. Sinon, fuyez-le comme la peste.

En troisième lieu faites une prière simple, une prière qui implore la grâce salvatrice de Jésus-Christ votre Sauveur. Dites honnêtement au Seigneur que vous êtes dégoûté de vous-même tel que vous êtes, que vous ne voulez pas rester dans cet état plus longtemps. Dites-lui que vous ne semblez pas pouvoir faire quelque chose de vraiment constructif par vous-même et qu'ainsi vous vous tournez vers Lui pour qu'il réalise en vous ce dont il croit que vous avez besoin. Dieu répondra toujours à une prière de cette qualité, c'est-à-dire à une prière honnête, humble et confiante. Il fera démarrer en vous ce triple processus créateur: la libération, la découverte et l'estime de soi. Alors vous commencerez à vous aimer de nouveau.

Donc quoique vous fassiez, gardez l'estime de vous au bon niveau.

Le troisième élément de cette formule, celui dont fut inspiré le jeune pasteur lorsqu'il est allé dans la pièce d'à côté pour consultation, est celui-ci: apprenez à laisser Dieu conduire votre vie.

Si les choses ne tournent pas rond, faites appel à un autre directeur

Je me rends compte qu'une personne qui lit ces lignes et qui est peu ou pas préparée à cette manière de penser pourrait estimer d'aucune valeur cette bizarre spiritualité. Eh bien, laissez-moi vous dire qu'elle n'est pas bizarre: c'est simplement une manière réaliste de dire que si vous n'avez pas bien réussi avec vous-même dans votre vie, laissez un Autre qui sait comment faire se mettre aux commandes. Bien plus, comme on pourrait dire, donnez le volant au Seigneur. Il vous conduira là où vous voulez aller, c'est-à-dire vers un état de vie où vous serez heureux, où vous aurez du succès, où vous serez utile. Placez-vous sous les ordres d'un nouveau directeur.

Naturellement, une personne ne va pas s'aimer beaucoup quand elle est en lutte continuelle avec des conflits intérieurs, quand la frustration remplace la joie de vivre ou qu'un sentiment de culpabilité la hante. Quand votre esprit est encombré d'insatisfaction, de ressentiment, de haine, on peut difficilement s'attendre à ce qu'il soit source de paix, de contentement et certainement pas de pensée positive pour le monde d'aujourd'hui.

Quiconque pense à tout cela ne peut pas ignorer que pour sortir quelque chose de l'esprit, il faut d'abord qu'on l'y ait mis. Si vous n'êtes pas heureux, si vous n'agissez pas bien, si vous subissez un traumatisme émotionnel, il y a des chances que vous soyez mal dirigé. Votre esprit n'exerce plus de contrôle, ne vous en donne pas le pouvoir ni le savoir-faire. La technique de correction est aussi simple que celle-ci: devenez d'abord humble. Ce sera peut-être difficile, spécialement si vous n'avez pas l'habitude de l'être. La plupart d'entre nous avons un bagage de fausse fierté qui nous porte à croire avec insistance que nous pouvons conduire nos vies seuls et que nous n'avons besoin de l'aide de personne. Mais les conduire où? Souvent tout droit vers la défaite totale ou plus précisément vers le trouble, vers l'échec et vers une vie personnelle misérable. Il est très important de devenir humble. Je suis sûr que vous pouvez être cette personne généreuse, car seule une personne généreuse peut être humble. Les gens ordinaires ne savent même pas ce que l'humilité veut dire. Ce n'est pas la vertu du menu fretin. C'est une vertu réservé aux esprits généreux. Mais vous êtes dans cette catégorie. Comment le sais-je? Parce que vous avez poursuivi la lecture de ce livre jusqu'à ce moment. Si vous n'étiez pas destiné à quelque chose de grand, vous n'auriez pas poursuivi votre lecture jusqu'ici. Il y a longtemps que vous l'auriez mis de côté pour une émission de télévision.

Étape numéro deux: après avoir acquis l'humilité, parlez directement à Dieu. Pas de bondieuseries, mais parlez au Seigneur comme à un ami qui va vous sortir de vous-même et vous mettre sur la large voix du succès et du bonheur.

Il commença à remporter du succès

Un de mes amis, un type robuste et vigoureux, fut perturbé, pour employer sa propre description, après avoir accumulé quarante et un ans de dégoût de lui-même. Il me fit finalement la révélation suivante: «Je m'étais dit tout ce que je savais sur moi, je m'étais raconté des faits pénibles mais authentiques à mon sujet. Puis un soir, j'allai derrière le garage et, appuyé sur une clôture, je regardai les étoiles. J'eus l'impression d'être attiré par quelque chose et soudain, croyez-le ou non, j'étais là, priant à haute voix. Je n'avais même pas fermé les yeux et je ne m'étais certainement pas agenouillé. Je regardais seulement Dieu dans les yeux et je disais: Et puis après, Seigneur!

Je suis battu à plate couture. Je ne peux rien faire par moi-même. Prends la relève et fais ce que Tu veux avec moi.»

«Ce fut fait, ajouta-t-il, et depuis ce temps, je n'ai jamais prié les yeux fermés. Je ne veux pas avoir l'air à moitié endormi quand je parle à Dieu.»

Eh bien, c'est peut-être une drôle de manière, mais ce n'est peut-être pas une trop mauvaise méthode pour prier, car je me rappelle avoir lu dans la Bible: «*Yahvé parlait à Moïse face à face, comme un homme parle à son ami.*» (Ex 33; 11) Disons que c'est une religion à stature d'homme.

Quoi qu'il en soit, les résultats sont là. Une nouvelle orientation commença à se faire jour et cet homme se mit à remporter des succès, toutes sortes de succès, personnels, familiaux et dans les affaires. Il s'aime beaucoup mieux, mais il n'a pas perdu l'humilité, cet empressement humble à laisser Une Main Supérieure prendre la relève aux contrôles. Ceci alors est le remède au dégoût de soi.

Quel malheur n'attirons-nous pas sur nous-même en nous entêtant à vivre avec nos conflits intérieurs et extérieurs, alors qu'il n'est pas nécessaire de vivre dans une telle situation de conflit. Le secret est simple; laissez le Seigneur prendre la relève et conduire votre vie. Il vous deviendra possible de vivre et d'aimer vivre parce qu'avec le Seigneur à la barre, vous aurez tellement moins de trouble avec vous-même. Et en conséquence, vous vous aimerez beaucoup mieux. Vous deviendrez avec vous-même un optimiste à toute épreuve.

Comment vivre avec vous-même dans la joie

1. Apprenez vraiment à vous connaîre et à vous aimer.
2. Cultivez un moi auquel vous pouvez faire confiance et croire.

3. Faites le portrait du genre de personne que vous désirez être, affirmez que vous l'êtes, puis pratiquez-vous à l'être.
4. Gardez quelque mécontentement inspirateur comme aiguillon pour vous motiver. Un amour total de soi émousse le facteur pulsion.
5. C'est à juste titre qu'on dit «*votre* moi». Il est à vous pour toujours. Vous y êtes lié.
6. Puisqu'il vous faut vivre avec vous-même, il est important de développer un moi avec qui il soit plaisant de vivre.
7. Aimez Dieu et vous développerez de façon normale du respect et de la considération pour vous-même.
8. Apprenez à laisser le Seigneur conduire votre vie. Vous n'en aimerez mieux les résultats que si vous l'aviez fait vous-même.
9. Soyez humble, ayez une âme et un esprit forts, soyez bon; vous vous aimerez ainsi et les autres vous aimeront aussi.

Loi de de la suppléance et de la vie prospère

Il me faudra avouer, et je n'ai vraiment aucune objection à le faire, que cette aisance dont j'ai joui dans ma vie, que cette surabondance de joie, je les dois à un heureux mariage.

Homme ou femme, si vous êtes mal marié, vous pouvez vous attendre à quelques maux de tête. Si vous êtes bien marié, la joie et la prospérité seront votre lot.

Quand deux êtres, homme et femme, s'unissent l'un à l'autre loyalement et édifient fermement cette relation sur des principes spirituels, ils créent l'une des plus grandes assurances de prospérité et de vie agréable que l'homme connaisse. Ils deviennent des penseurs positifs pour ce monde d'aujourd'hui.

Ma femme et moi avions décidé au début de notre mariage de former une équipe où chacun mettrait le meilleur de lui-même à cette entreprise conjointe de vie en commun et suppléerait à la faiblesse de l'autre par une forme compensatoire. Nous avions aussi décidé d'édifier notre vie commune sur le Seigneur, sachant, comme le dit si bien la Bible, que «*si le Seigneur ne bâtit pas la maison, c'est en vain que travaillent ceux qui la bâtissent*».

Naturellement, c'est mon épouse Ruth qui a apporté à la famille Peale la plus grande part de soutien dont elle avait besoin. Elle a toujours été une optimiste à toute épreuve, un vrai penseur positif dans la joie comme dans l'adversité. Elle a su convertir les heures sombres en heures ensoleillées. Elle n'avait que vingt-trois ans lors de notre mariage, mais dès le tout début elle mit de l'avant cette idée d'une grande maturité spirituelle, à savoir que si nous mettions nos vies entre les mains de Dieu en toute confiance, si nous Le servions sincèrement, si nous aimions et aidions les gens, n'oubliant pas de travailler avec ardeur, Dieu prendrait toujours soin de nous.

Croyez-moi, pour elle, il ne s'agissait pas là d'une idée purement spéculative. Pour elle, c'était aussi naturel d'y croire que de respirer. Et nous avons aussi basé nos vies sur cette croyance, non seulement parce que cela faisait partie du credo de sa vie, mais parce qu'en pratique, nous ne pouvions faire autrement. En ce temps-là, j'étais personnellement sceptique à ce sujet. J'étais d'avis que Dieu n'aidait que ceux qui s'aidaient eux-mêmes; de fait, je croyais que la meilleure manière d'être assuré de l'aide de Dieu, c'était de prendre très bien soin de soi.

Voyez-vous, j'avais fait ma théologie à l'Université de Boston où on n'enseignait pas un genre de foi aussi simple. On se moquait de ses histoires d'âmes candides qui mettaient leur foi dans le Seigneur pour les aider dans leurs affaires de tous les jours et en obtenaient ainsi du soutien. Ils ne pouvaient nullement voir cet élément de la religion qu'on appelle la foi; l'essentiel pour eux, c'était un christianisme aux allures moralisantes, conçu pour favoriser l'éveil de ces remèdes universels de la gauche et qu'ils appelaient avec suffisance la religion «intellectuellement respectable».

C'étaient d'honnêtes gens qui avaient étudé et enseigné là, et plusieurs d'entre eux étaient sortis de ces foyers vieux jeu composés de gens ordinaires. Ils conservaient une douce nostalgie pour la foi simple de leurs pères, mais ils en étaient arrivés en ce moment à une telle altération des données religieuses et sociologiques qu'ils considéraient comme réactionnaires ceux qui prétendaient que Dieu aide l'homme sans mesure dans l'ordre surnaturel. Et sans aucun doute, j'appuyais totalement ce point de vue intellectuel. À ce sujet, Ruth avait un problème avec moi. J'avais beaucoup à désapprendre des méthodes d'éducation qui m'avaient formé.

Sa foi était tout à fait pure. C'était une vraie foi. La foi, si vous vous souvenez, c'est la substance des choses qu'on ne voit pas. Ceci s'appliquait à la lettre dans notre cas. Ruth avait à peine quelques sous lors de notre mariage. Elle avait quitté le collège pour un certain temps; elle travaillait pour la Michigan Bell Telephone Company afin de permettre à son frère aîné de terminer ses études. Puis, à son tour, il alla travailler pour aider sa soeur à rencontrer ses dépenses de collège. Après la remise des diplômes, elle fit de l'enseignement à la Syracuse Central High School pour ainsi aider son frère cadet à obtenir ses diplômes à l'université.

J'avais un salaire convenable comme pasteur d'une église à Syracuse, mais il me fallait rembourser la dette onéreuse de mes propres études et, en même temps, permettre à mon frère cadet de terminer les siennes. J'avais travaillé durant mes études au séminaire, opérant un monte-charge au YWCA de Boston. J'étais connu chez mes condisciples comme le pire opérateur de monte-charge qu'eut jamais eu le YWCA. Je reconnais que c'est vrai, mais au moins c'était mieux que de dépenser de l'argent pour des repas au moment où, moi aussi, j'avais à peine deux sous en poche.

Je n'avais fait aucune économie et nous avions débuté dans notre vie conjugale avec le proverbial petit capital très minime pour une telle aventure. Je me souviens qu'un soir, lors de la grande dépression, au début des années trente, nos avoirs étaient descendus si bas que, vraiment désespéré, je sortis et marchai de long en large dans le parc. Mais cela n'affecta même pas Ruth. «Le Seigneur y pourvoiera, disait-elle, nous n'avons qu'à continuer à Le servir et à avoir confiance en Lui. Il nous donnera des idées et des aperçus nouveaux que nous transformerons en plans rentables.»

Eh bien, il s'est écoulé plusieurs années depuis cela et nous n'avons jamais sauté un repas. (Il est probable que cela ne nous aurait pas fait de tort.) Nous avons eu de belles maisons, toutes les choses indispensables et même du superflu. Nous avons eu trois enfants, avons pourvu à leur éducation et tous ne nous ont apporté que de la joie et jamais de trouble. Nous avons maintenant huit petits enfants et tous sont gage que leurs vies seront bien remplies. Nous avons beaucoup voyagé à travers le monde. Nous avons eu des occasions extraordinaires de servir. L'amitié de plusieurs nous fut précieuse et un grand nombre de gens nous ont manifesté leur amour. Ruth avait raison: le Seigneur a vraiment pris soin de nous. Nous avons eu une large part de prospérité et nous avons joui de la vie, même si nous avons eu nos durs moments. Depuis, je me suis rangé à la foi de Ruth, au Dieu providence. Il a bien fallu, car je fus témoin de son intervention non seulement dans nos vies mais aussi dans la vie de plusieurs centaines d'autres personnes.

La loi de la suppléance

Il est probable que Ruth ne la connaissait pas au début car c'est par hasard qu'elle était entrée en contact avec la plus grande des lois dans ce monde de loi. On l'appelle la loi de la suppléance. De fait, ni elle ni moi n'avions entendu cette expression si ce n'est quelques années plus tard de la bouche de docteur Frank Boyden, principal de la Deerfield Academy, une de nos meilleures écoles pour garçons. Le docteur Boyden avait bâti cette remarquable institution avec pratiquement rien. Aujourd'hui, c'est une des meilleures dans le monde de l'éducation.

«Comment avez-vous fait?», lui avais-je demandé avec admiration, au moment où il parlait des difficultés rencontrées au cours des ans, alors qu'il avait frisé la faillite.

Puis en riant, il dit: «Je suis certain que la banque a cru perdre une centaine de fois, mais les fonds arrivaient toujours. Moult fois nous avons gratté le fond de notre bourse mais les fonds n'ont pas manqué.»

«Comment cela?» insistai-je.

Il tourna vers moi son regard rempli de foi et dit: «Grâce à la loi de la suppléance. Je faisais les choses que Dieu désirait que je fasse: faire des hommes avec des garçons. Je faisais de mon mieux. J'ai recherché la volonté de Dieu et je l'ai suivie. Je remettais tout entre ses mains et je travaillais de tout coeur. C'est tout cela qui a stimulé la loi de la suppléance et ça marche toujours.»

Après cette conversation, en nous éloignant de Deerfield, Ruth ne cessait de répéter en partie à elle-même: «La loi de la suppléance, la loi de la suppléance, mais c'est exactement ce que j'ai mis en pratique toute ma vie. Je n'avais jamais entendu cette expression, mais c'est bien cela, la loi de la suppléance. C'est le grand secret de notre vie, Norman», dit-elle, dans une espèce de crainte révérentielle.

«C'est le tien, ton secret, ma chérie, dis-je doucement. J'espère un jour pouvoir y arriver moi-même, à cent pour cent, comme toi.»

Il m'a fallu lutter pour croire et accepter dans un acte de foi la loi de la suppléance et même au moment où j'écris ces lignes, je dois confesser que je ne la mets en pratique qu'à demi. Heureusement que j'ai Ruth qui le fait à ma place. Mais je n'ai pas le moindre petit doute de la réalité et de l'efficacité de la loi de la suppléance.

Quel est le secret opérationnel de cette loi de la suppléance pour créer de la prospérité, stimuler le bien-être, être source de créativité et rendre la vie heureuse?

Il faut d'abord avoir la conviction, la conviction absolument inébranlable que la suppléance sera toujours suffisante, pas nécessairement abondante, mais toujours suffisante.

Cessez de penser négativement

Il faut admettre que cette conviction n'est pas chose facile à acquérir, particulièrement si, pendant longtemps, vous avez vu le côté sombre des choses. Et précisément, il faut d'abord commencer par vous attaquer à cette habitude de voir le côté sombre des choses. Vous devez devenir un optimiste à toute épreuve. Prenez votre caractère à deux mains, vous en avez un, vous savez, et commencez à voir les choses du bon côté. Je vous assure que ça rapporte des dividendes. Quand je vais à Londres, je descends toujours à Fleet Street, et puis je me dirige vers le Old Cheshire Cheese, vieux restaurant bizarre, situé en haut d'une rue étroite. Bien connu de milliers de voyageurs américains, il est célèbre pour son pâté de boeuf et rognons, ses rôtis de boeuf et de mouton et son incomparable fromage anglais.

Un des coins du restaurant est renommé parce que c'est l'endroit où le docteur Samuel Johnson déjeunait chaque midi et dispensait à un groupe de joyeux amis son savoir et sa sagesse. Un jour, il se mit à exposer les effets atrophiants des attitudes dépressives. Frappant la table de son poing, il déclara: «Bon Dieu, voir le beau côté des choses ça vaut au moins mille livres par année.»

Suivez donc cette idée pleine de sagesse lumineuse que si vous faites votre part de la meilleure façon possible, si vous pensez et travaillez de façon positive, il y aura suppléance.

Rappelez-vous toujours que la tristesse chasse la prospérité. La prospérité fuit les penseurs noirs et inhospitaliers, elle tourne le dos à ce type d'esprit rempli d'ombres et de doutes, car le doute a tendance à produire des résultats douteux.

Mettez en pratique jusqu'à ce qu'elle devienne partie de vous-même la conviction que la loi de la suppléance opère réellement en vous. Sans doute, il ne suffit pas d'être simplement convaincu pour réussir; mais disons plutôt que sans cette conviction à la base, les autres facteurs importants pour que cette loi opère ne la rendront pas effective.

Quand, enfin, vous avez cette conviction vitale profondément enracinée en vous et que vous en prenez fermement conscience, vous ne gaspillerez pas plus longtemps une précieuse énergie par des attitudes inquiètes et négatives. Vous pouvez être tout à votre travail quotidien, assuré que tout va pour le mieux pour vous et pour tous ceux qui entrent en contact avec vous. Vous deviendrez maintenant un vrai créateur. Et à partir de cette nouvelle créativité qui opère en vous, des éléments créateurs apparaîtront. Vous n'aurez plus de fiascos ou du moins ils seront limités en nombre. C'est très enthousiasmant. En outre, la loi de la suppléance opère également bien avec peu, avec plus et même avec beaucoup.

Ruth parle de la frugalité qu'elle eut à pratiquer au collège. À cette époque, elle appartenait à la fraternité Alpha Phi, la plus vieille et, à notre humble avis, la meilleure fraternité du campus. Comme elle était une femme d'affaires-née, on la choisit comme administratrice de la maison et elle fut ainsi nourrie et logée. Elle participa aussi à une foule d'activités parascolaires. Elle vécut des heures merveilleuses sans qu'il ne lui en coûtât pratiquement rien.

Un jour, elle se rendit compte qu'elle n'avait que trente-sept cents dans son portefeuille; impossible de voir d'où pourrait en venir davantage; s'est-elle inquiétée? Pas du tout; ne vivait-elle pas sous l'empire de la loi de la suppléance, la loi de la prospérité? Ce soir-là, elle rédigea sa lettre hebdomadaire à sa famille; c'était une lettre débordante de bonheur comme toujours. C'est tout à fait par hasard qu'il lui arriva de mentionner qu'elle était «vraiment riche, car j'ai, écrivait-elle, trente-sept gros sous ronds. Mais cela ne m'ennuie pas. J'en ai déjà eu moins.»

Il arriva que son frère, alors vendeur itinérant, se trouvait à la maison à ce moment-là et il lut sa lettre. «C'est étrange, remarqua-t-il, j'ai pensé récemment à envoyer un petit quelque chose à Ruth. Je pense que c'est le temps, maintenant.» Ce fut donc quelques jours plus tard que l'avoir des modestes trente-sept cents s'accrut de soixante-quinze dollars grâce à son frère Chuck. Comme toujours, Ruth l'accepta. «Oh! dit-elle, que diable ferai-je avec soixante-quinze dollars?» Mais je sais ce qu'elle en a fait. Elle en dépensa une partie pour les besoins indispensables et mit le reste de côté. Elle est un formidable mélange de foi religieuse et de sens des affaires.

La loi de la prospérité travaille toujours pour ceux qui l'utilisent

Ce n'est que récemment que Ruth a remarqué que la loi de la prospérité-suppléance opère toujours, même si les dépenses comme les revenus sont un peu plus élevés qu'aux jours des trente-sept sous. Il semble que Ruth ait dû faire des chèques pour un montant de plusieurs centaines de dollars. Voyez-vous, c'est elle qui tient la comptabilité de la famille, fait les opérations bancaires, paie les factures et prépare même les rapports d'impôts. Elle a enseigné les mathématiques à l'école secondaire et elle possède un talent naturel pour les affaires.

Ainsi aujourd'hui, elle a des factures qui représentent un assez fort montant d'argent et elle n'a pas cette somme à son compte de banque. Elle aurait pu piger dans ses économies, mais alors, si vous faites cela, ce ne sont plus vraiment des épargnes. Elle aurait pu croire nécessaire de me demander de l'aider, mais elle voulait éviter de me déranger dans la rédaction de ce livre qu'on appelait avec beaucoup d'optimisme mon activité littéraire. Ce soir-là, elle fit les chèques avec confiance mais ne les mit pas à la poste. Elle savait qu'il faudrait faire quelque chose le lendemain matin; à sa grande joie et n'étant nullement surprise, elle reçut par le courrier du matin un chèque pour de l'argent qui nous était dû au montant à peine inférieur à ce dont nous avions besoin. Une fois de plus, c'était les trente-sept cents qui se transformaient en soixante-quinze dollars. Le montant était différent, de beaucoup plus élevé, mais le principe en jeu était le même, peu importe le montant.

Le défunt Eugene Outerbridge, producteur de bulbes aux Bermudes, était un de mes amis qui croyait fermement à ce principe et qui fut pour moi source d'inspiration au cours des années. Il y avait chez Eugene une spiritualité dynamique et précise qui découlait, j'en suis sûr, de sa consécration au Seigneur et de son humilité comme disciple du Christ.

Chaque année, pendant de nombreuses années, il expédia par avion à notre église de la ville de New York des milliers de lys des Bermudes, fleurs programmées pour s'épanouir dans toute leur splendeur au matin de Pâques.

Eugene croyait fermement à la loi de la suppléance, un principe de base dans sa vie personnelle et dans ses activités d'affaires. Il avait cette foi qui fait croire aux miracles. Laissons-le raconter son expérience de cette formidable loi, tant spirituelle que pratique, de la prospérité.

«Ayant tout perdu en affaires, je dus recommencer à zéro. Un jour, il me fallut faire honneur à un billet promissoire de seulement 287,60 $, mais je n'avais aucun argent disponible. Étant un de ceux qui croient fermement que Dieu aide ceux qui s'aident, je sortis mon livre de compte, pris connaissance de quelques effets recevables et partis les encaisser. Mais je ne pus recouvrer le moindre sou. À l'heure du dîner j'étais fatigué et peut-être un peu déprimé quand mon épouse me dit: "Pourquoi ne pas remettre tout cela entre les mains du Seigneur?" Nous le fîmes sur-le-champ.

«Ce soir-là, à vingt-heures trente, nous eûmes un appel téléphonique en provenance d'un grand hôtel: c'était quelqu'un qui voulait me voir pour affaires. En moins d'une demi-heure, j'étais là; je fus accueilli par la charmante épouse d'un homme en chaise roulante. On me remercia d'être venu à une telle heure, mais sachant que j'étais fleuriste, l'homme me dit qu'il voulait envoyer des fleurs à plusieurs amis; il m'a demandé si je ne voulais pas m'occuper de ses différentes commandes. "Je vous prie de m'en dire le prix pour que je puisse vous donner mon chèque."

«Cette nuit, je revins à la maison avec une foi renouvelée, cette foi qu'on ne peut jamais oublier que Dieu écoute nos prières: en effet, j'avais en poche un chèque au montant de 286,00 $. Il ne me manquait que 1,60 $ pour honorer mon billet promissoire échu ce matin.

«Une autre fois, j'eus besoin de 4000 $ pour mon commerce. On envoya des lettres, des télégrammes aux clients qui nous devaient de l'argent, mais sans résultat. Deux semaines plus tard, alors que nous continuions de prier et de travailler, je reçus d'Angleterre un chèque au montant de 900 £: c'était presque le montant nécessaire. C'était un compte que j'avais biffé dans mes livres, mais Dieu le connaissait.»

Une abondance de provisions disponibles

Je me rends compte qu'on peut mettre en doute, voire attaquer cette philosophie de la vie; si le lecteur le veut, il peut la contester en disant: «Ce n'est pas possible.», et je respecte leur opinion. Mais j'ai vu ce genre de choses arriver si souvent à ma femme et aux autres que j'ai décidé depuis longtemps non seulement d'y croire, mais d'essayer d'en faire moi-même une base pour ma vie. Il y a plusieurs lois de la nature que je ne comprends pas, mais j'en vis quand même. Comprendre peut n'être pas aussi compliqué qu'il semble. C'est un Dieu généreux qui a créé ce monde et qui l'entretient; Il doit vouloir ce qu'il y a de mieux pour ses enfants puisqu'Il a mis d'aussi bonnes choses dans le monde.

Il a fait en sorte que l'abondance de ses biens nous parviendra pour faire face à nos besoins si nous restons en harmonie avec le Seigneur et ses manières de procéder. Ce n'est pas un truc pour s'enrichir, car alors il n'opérerait pas. Le désir de toujours s'enrichir tend davantage à fermer la ligne de communication avec les biens spirituels. Il est possible que la mise en pratique du principe de prospérité-suppléance apporte une accumulation considérable d'argent. Mais dans ce cas, ce serait au prix des biens essentiels eux-mêmes et en dernier ressort vous n'en ressortiriez pas gagnant.

La loi de la suppléance-prospérité n'a jamais été conçue pour produire un surplus de valeurs matérielles, à moins qu'elle ne comporte une orientation spirituelle pour son usage. Et la responsabilité de chacun doit demeurer en parfaite harmonie avec ce que nous savons être la volonté de Dieu. Vous pouvez ramasser tout l'argent dont vous êtes capable et vivre sans aucune motivation spirituelle, prendre soin de vous au maximum et en profiter un certain temps sans être puni, mais il y a une chose d'absolument certaine: Dieu aura toujous sa revanche. Il ne le fait pas sur-le-champ, mais Il le fait; si, donc, vous enlevez toute motivation spirituelle à la loi de la suppléance-prospérité, vous feriez mieux de vous attendre à quelque chose dans votre vie; ce quelque chose, c'est-à-dire beaucoup, pourrait mal tourner pour vous. Il est tout simplement normal que si vous introduisez de l'aigreur dans votre motivation vous récolterez du trouble en dernière analyse.

Il n'y a absolument rien de mal à posséder de l'argent, à moins que l'argent soit votre maître. Mais si Dieu est votre maître, s'Il l'est vraiment, vous serez intéressé à vous servir de l'argent et à le mettre en circulation pour des fins pieuses. Alors, vous recevrez en plus de l'argent un surplus incroyable de bienfaits de toutes sortes, et par votre intermédiaire, c'est toute l'économie matérielle et spirituelle qui continuera de se maintenir en opération de créativité. En bref, c'est ma croyance que l'argent dont on se sert avec peu ou sans référence à Dieu ou aux hommes, est l'argent du diable ou va le devenir. Mais l'argent dont on se sert avec une responsabilité spirituelle est bon et continuera d'affluer avec abondance en conformité avec le plan de suppléance-prospérité.

Ma bourse se remplit au rythme de mes dons

J'ai vraiment aidé un bon nombre de personnes à posséder plus d'argent, moi-même j'en ai possédé plus. Dans plusieurs cas, je l'ai fait en leur enseignant à donner. Il me serait impossible de vous dire le nombre de gens qui m'ont dit avec enthousiasme: «Au début, je craignais de donner, pensant que je n'en avais pas beaucoup et que c'était dangereux d'en donner autant que vous mentionniez. Eh bien, voulez-vous savoir quelque chose? Plus j'ai donné, plus j'en ai eu.» Une sténo l'a énoncé de cette façon: «Ma bourse se remplit au rythme de mes dons. Cela me dépasse et je n'ai jamais été aussi heureuse de ma vie.» Comme elle a raison. Cette fille devint si heureuse qu'elle était toute rayonnante de joie et de beauté, et un jour se présenta l'homme de ses rêves. Après les avoir mariés, son époux me dit: «Quelque chose chez elle m'a captivé. Elle est formidable.» C'est vrai, car je me rappelle qu'elle était vraiment triste et prosaïque jusqu'au jour où elle s'est engagée dans le programme du don de soi et de son argent. C'est étrange, plus vous donnez, plus ça vous revient, mais pas toujours sous la forme de dollars et de *cents*.

Parfois, cela vous revient sous forme de riches valeurs et avec le strict minimum d'argent pour les besoins. Ma belle-mère, par exemple, était née au Canada de gens profondément chrétiens, de ces gens honnêtes que vous retrouvez à l'église, non pas dans ces belles églises de banlieue à l'allure snob, mais plutôt dans une petite église de village toute simple. Elle épousa un jeune prédicateur qui durant toute sa vie n'eut que de petites églises. Plus tard dans sa vie, il prêchait le dimanche et durant la semaine il travaillait chez Ford à Détroit. Aujourd'hui, cette petite communauté qu'il avait sauvée de la disparition, disait-on, est une des grosses de la région. Il fut toujours un homme bon, poli, dont la figure rayonnait de la paix de Dieu parce que Dieu était dans son coeur.

Il a fallu que grand-père et grand-mère Stafford ménagent et se contentent de peu pour joindre les deux bouts. La loi de la suppléance ne leur avait apporté que de modestes sommes d'argent, quoiqu'elles fussent suffisantes: mais j'ai rarement rencontré des gens qui ont reçu d'aussi abondantes bénédictions. Leurs trois enfants avaient très bien réussi. Chuck détenait une position de responsabilité à la Chambre de Commerce des États-Unis. Bill était à la tête du personnel d'une entreprise importante au New Jersey et il est trésorier pour le magazine *Guideposts.* Quant à Ruth, je ne crois pas manquer à la modestie en disant qu'elle est un chef de file chez les femmes de notre temps.

Grand-père et grand-mère Stafford ont bénéficié de l'amour de centaines de gens à la vie desquels ils s'étaient mêlés avec amour et créativité. Ils n'ont jamais manqué du nécessaire même si grand-père a conduit son vieux Ford pendant des années et je ne me souviens pas qu'ils aient renouvelé le mobilier. J'ai demandé à grand-mère, alors qu'elle avait 85 ans, si elle croyait à la loi de la suppléance. C'était quelque chose de nouveau pour elle, mais après explications, sa figure s'illumina: «Oh! tu veux parler de la bonté généreuse de Dieu. Toute ma vie, j'ai été inondée de ses bienfaits. Assurément, je crois à cette loi de la suppléance. Quelle belle appellation.»

Dieu, le pourvoyeur de prospérité

Vous voyez donc qu'il ne faut pas faire l'erreur de conclure à l'obligation de concevoir la prospérité en termes d'argent. C'est peut-être ce vieux cantique qui décrit le mieux la vraie prospérité: «Ton Père du ciel fera descendre une pluie de bienfaits.» Le secret pour vivre dans la prospérité et la joie, c'est d'avoir la conviction inébranlable que Dieu va prendre soin de ceux qu'Il aime et qui ont confiance en Lui. Et de fait, Il en prendra soin.

Il ne faut pas en conclure ni même en déduire que nous sommes libérés de l'effort, de la difficulté, de la fatigue. Une chose est certaine dans la vie: on ne peut avoir les roses sans les épines. Les problèmes se solutionnent plus facilement par l'effort. Mais l'essentiel, c'est que celui qui croit à la philosophie de la suppléance-prospérité vient à bout de toutes les difficultés avec succès. Sans aucun doute, il peut réussir après maints risques mais le résultat final est ce qui compte ici: il réussit; nous pouvons ajouter que la vie lui procure beaucoup de plaisir dans cet effort. En vérité, on peut dire que la route à suivre du penseur positif, quoique souvent pénible, comporte aussi ses joies, de grandes joies.

Ne pensez jamais en termes de déficience

À ce premier pas, à savoir la conviction que les biens seront toujours en quantité suffisante, il faut en ajouter un deuxième aussi important pour stimuler la prospérité: ne jamais penser ou parler en termes de déficience. Emerson disait que les mots sont des êtres vivants, et que si vous en coupez un, il va saigner. Un mot, ce n'est qu'une pensée extériorisée. Georgiana Tree West l'établit formellement: «Quand nous pensons à une chose, nous en créons un modèle particulier et quand nous en parlons en émettant le mot, elle prend forme. Nous ne devrions pas émettre une idée à moins que nous voulions la voir prendre forme dans notre vie. Dans l'Ancien Testament, dit-elle, on nous promet: *Promulgue une chose et elle deviendra réalité pour toi.* Notre parole est comme un décret. Quand nous disons: «Je suis pauvre», nous décrétons l'existence de la pauvreté. Plus nous mettons l'accent sur ce mot, plus la pauvreté deviendra évidente dans notre vie. Notre parole est l'expression de notre image mentale. Les lois de Dieu l'ont établi ainsi pour que la parole en vienne à se concrétiser.»

En d'autres mots, c'est faire preuve de sagesse de ne penser ni de parler en termes de déficience, car il y a danger que cette déficience devienne réalité.

Charles Fillmore nous avertit: «Ne dites pas que l'argent est rare: cet énoncé même fera fuir l'argent. Ne dites pas que les temps sont durs pour vous: ces mêmes paroles vont resserrer les cordons de votre bourse au point que le Tout-Puissant n'y pourra introduire un centime. Ne permettez à aucune pensée vide de peupler votre esprit, mais remplissez-en tous les coins et recoins du mot abondance, abondance, abondance.»

Ces idées peuvent paraître pour le moins étranges aux personnes qui ne voient pas l'étonnant pouvoir de la pensée pour créer ou détruire. La raison pour laquelle Emerson se sert de la curieuse métaphore «qui saigne», c'est parce qu'il reconnaît que la pensée cachée derrière les mots peut donner la vie ou la mort à nos espoirs et à nos désirs. Des pensées de déficience, des paroles exprimant cette déficience ont tendance à la produire en réalité alors que des pensées de prospérité, des mots qui l'expriment, nous mettent sur la route de la prospérité.

Un projet auquel madame Peale et moi avions été mêlés connut des problèmes financiers. La plupart des personnes impliquées manifestèrent leur découragement face à la situation, sauf une femme qui s'est avérée un penseur sage et créateur. Elle mit de l'avant l'idée qui a sauvé le projet de la faillite et le mit sur la piste du grand succès obtenu par la suite. Ce jour-là, j'ai appris quelque chose qui a littéralement changé le cours de ma vie. J'ai appris qu'une pensée de déficience doit ouvrir la voie à une pensée de prospérité chaque fois qu'on laisse la loi de la suppléance agir sans ambages.

«Maintenant, dit-elle, regardons notre situation bien en face. Nous manquons de tout, n'est-ce pas? Nous manquons d'argent, d'équipement, nous manquons d'idées, nous manquons de foi. Nous sommes dans une situation de déficience. Et savez-vous pourquoi nous manquons de toutes ces choses?»

Penser en termes de lacunes crée une condition de déficience

Alors, elle répondit elle-même à sa question: «Nous nous sommes obstinés à penser en termes de lacunes et ainsi nous avons créé une situation où nous manquons de tout.» De prime bord, cela m'a semblé une étrange façon d'aborder le problème, mais à la réflexion, il devint apparent que l'approche était raisonnable. Nous avions manqué de beaucoup de choses, il n'y avait aucun doute à ce sujet. Il était aussi vrai que nos pensées s'exprimaient en termes de déficience, nous pensions à ce que nous ne pouvions pas faire. À contrecoeur nous avons donc reconnu qu'elle avait raison, mais néanmoins il était difficile d'admettre que de penser en termes de lacunes pouvait résulter en déficiences. Il y avait là sur la table des tas de factures non payées. Vous ne pouviez pas ne pas prendre cela au sérieux.

«Très bien maintenant, poursuivit-elle, assez de cela. À partir de tout de suite, chassons ces pensées de lacunes de nos esprits. Prenons nos esprits en charge et au nom du Seigneur, commandons aux mauvais esprits de la pensée négative de nous quitter.»

Nous avons fait maison nette de cet amoncellement de pensées négatives et nous avons introduit à leur place des pensées positives de prospérité. Nous avons imaginé des résultats mirobolants. Ceci a libéré des énergies pleines de dynamisme. Nous eûmes des idées nouvelles et les possibilités d'échecs furent changées en succès. La pensée négative avait donné des résultats négatifs. Et maintenant la pensée de la prospérité déclenchait un mouvement de prospérité.

Ne pensez jamais en termes de lacunes, pensez toujours prospérité. Que votre vie et vos pensées s'édifient à partir de l'abondance de Dieu. Aimez-Le, servez-Le; en outre, aimez et servez vos frères les humains et vous connaîtrez la vraie joie de vivre. Une pensée positive pour ce monde d'aujourd'hui nous enseigne à vivre selon la loi de Dieu, à attendre de l'abondance de Ses bienfaits une suppléance qui ne faillira jamais.

En résumé:

1. Apprenez à baser votre vie sur un Dieu qui va suppléer à vos besoins.
2. Intéressez-vous aux beaux côtés des choses. Le docteur Johnson disait que cela valait pour n'importe qui 1000 £ par an.
3. Faites vraiment de votre mieux, pensez prospérité et, de fait, le Seigneur y verra. C'est par votre intermédiaire qu'Il fera cette suppléance.
4. Dieu prendra toujours soin de ceux qui L'aiment, qui ont confiance en Lui et font sincèrement sa volonté.
5. On ne doit pas toujours, ni même à l'occasion, concevoir la prospérité en termes d'argent, mais comme un flot continue de bienfaits de Dieu.
6. Ne pensez ni parlez lacune car ce faisant, vous décidez qu'il y aura lacune. Et quand vous parlez lacune, vous créez un climat favorable aux lacunes.

7. Mettez l'accent sur la pensée d'abondance. Des pensées d'abondance aident à la créer.
8. Ce sont les pensées et les mots qui édifient notre image mentale. Et puisque nos vies se conforment à cette image, assurez-vous que vos pensées et vos paroles expriment la prospérité, les bienfaits plutôt que la pauvreté et la défaite.
9. Chaque jour chassez énergiquement de votre esprit toute pensée de lacune et faites le plein de pensées dynamiques qui respirent l'abondance.

Demeurez sous le charme de l'enthousiasme

L'enthousiasme peut opérer des merveilles dans votre vie. Son effet magique peut vraiment vous faire reprendre vie.

Lors d'une tournée de conférences à l'extérieur de la ville, je descendis au Rotary Club pour dîner et faire acte de présence selon le règlement des Rotarians. Choisissant une table au hasard, je me présentai à mes compagnons de table et je fus un peu surpris quand l'un d'eux murmura sur le ton de la plaisanterie: «Alors, c'est vous Norman Peale, hein? Eh bien, j'espère que vous pouvez faire quelque chose pour moi. Assoyez-vous et parlez-nous en philosophe.»

Il était évident qu'il n'était pas aussi bourru qu'il en avait l'air; c'était tout simplement, comme on pourrait dire, un coeur doux sous une rude écorce. J'ai découvert en lui un homme très sympathique, aimant badiner et lancer des défis. «Maintenant, ne me servez pas une de vos salades sur la pensée positive, continua-t-il, parce que je suis une épave, un raté, un écumeur et tout ce que vous voudrez.» Ainsi se déroula cette confession complète, pleine de verve. Il ne semblait pas se préoccuper du tout de ceux qui l'entendaient car il déclamait d'une voix de stentor, et tous sans exception ne pouvaient s'empêcher de l'entendre.

«Je n'ai plus du tout d'enthousiasme et l'enthousiasme, c'est le produit que vous essayez toujours de vendre. Et n'allez pas croire que je n'ai pas lu tous vos livres. Je les ai tous. Je les aime et ils sont très en vogue; mais, je ne sais pourquoi, ils n'ont simplement pas pris. Qu'allons-nous faire à partir de maintenant? Comment puis-je trouver l'enthousiasme et recommencer?»

Il voulait une réponse. Et comme il ne se souciait pas de parler fort, pas plus que moi d'ailleurs, je ne me souciai pas non plus de qui pouvait m'entendre. Je lui dis donc: «Ce dont je crois qu'un homme dans votre état a besoin, c'est de Dieu.»

Ceci l'impressionna réellement et vous auriez pu entendre voler une mouche autour de la table. Cependant, il y avait sur les figures de quelques-uns autour de la table un regard qui indiquait que je n'étais pas seul contre tous. Je m'attendais à une moquerie comme réplique, le tout conforme à son personnage: mais vous ne connaissez jamais réellement une personne, car vous ne savez jamais de quoi est vraiment fait un homme.

Quand enfin il prit la parole, ce fut pour dire calmement: «Il y a peut-être quelque chose de vrai dans ce que vous dites. Mais j'aimerais, si vous le voulez bien, que vous m'exposiez les liens qui existent entre l'enthousiasme et Dieu.»

«C'est avec plaisir que je le ferai.» Puis prenant un menu sur la table, j'écrivis à l'endos le mot *enthousiasme* en grosses lettres. «Avez-vous déjà étudié l'origine et la formation des mots? demandai-je. Vous en apprendriez quelque chose que vous n'avez jamais su auparavant. D'où croyez-vous que provient ce mot enthousiasme que nous utilisons régulièrement sans en connaître la signification profonde?

«Comment le saurais-je? murmura mon interlocuteur du Rotary. Je n'ai jamais étudié les mots, mais je peux comprendre un point de vue quand on me le fait valoir; quel est le vôtre?»

«Eh bien, lui répondis-je, le mot enthousiasme provient de deux mots grecs *en* et *theos*. Le premier signifie *en* et le second est le mot grec pour *Dieu*: le mot enthousiasme signifie donc vraiment *en Dieu*, ou en d'autres termes, rempli de Dieu. Ainsi pour en revenir à votre question sur la manière d'acquérir l'enthousiasme et de le conserver, il s'agit de se remplir de Dieu et de demeurer plein de Dieu.»

«Vous êtes en train de me faire un petit sermon», marmonna notre ami, mais cette fois, il grogna vraiment moins fort.

«Pourquoi pas? C'est vous qui l'avez demandé. Je n'ai pas commencé la discussion, c'est vous qui l'avez fait.» Sur ce, les deux commensaux à l'extrémité de la table tombèrent d'accord sur ce point et autour de la table s'éleva une discussion sur l'art de développer l'enthousiasme en soi. Derrière cette apparence extérieure rude, cet homme voulait vraiment quelque chose.

L'enthousiasme peut vous remonter; de même l'absence d'enthousiasme peut vous déprimer. Il en est ainsi parce que le spirituel est d'une très grande importance dans les réussites de la vie. Quoi qu'il arrive, quelles que soient les pertes que vous éprouvez, si vous ne laissez pas vos forces spirituelles faiblir et s'affaisser, votre capacité de vous renflouer se fera sentir; tous et chacun d'entre nous ont cette capacité de remonter à la surface. Mais quand vos forces spirituelles se refroidissent, votre moi peut alors devenir fragile; même si, auparavant, vous pouviez faire face aux coups les plus durs, les épreuves les plus insignifiantes, comparées aux précédentes, peuvent maintenant vous faire chanceler et même vous abattre.

Dans une fonderie de cuivre jaune, je regardais le métal fondu à environ 1200° Celsius couler à flots des immenses creusets faits de matériaux translucides qui rougeoyaient comme du feu quand ils étaient chauds. Le chef de la fonderie, qui me faisait visiter, prit un gros marteau de forgeron et le tenant à deux mains, asséna de puissants coups contre le creuset vide encore chaud. Tout ce qu'il pouvait faire de mieux, c'était d'imprimer sur les côtés des coches à peine perceptibles. Puis il prit un petit marteau et s'approcha d'un creuset entièrement refroidi. D'un bref mouvement du poignet, il frappa le creuset froid et le mit en pièces.

«Rien ne peut briser ces creusets quand ils sont chauds, dit-il, et un rien les fait voler en éclats quand ils sont froids.» Puis se révélant un philosophe à la manque, il ajouta: «C'est très dur de briser un homme quand son enthousiasme le chauffe à blanc, mais s'il se refroidit, même les moindres petits chocs peuvent le faire éclater.»

C'était une excellente manière de dire que le manque d'enthousiasme travaille contre vous alors que dans le cas contraire il opère des merveilles en vous.

Je ne vais cependant pas vous promettre que l'enthousiasme, celui qui travaille pour vous, est une espèce de qualité bien ordinaire que vous pouvez acquérir et exploiter sans qu'il vous faille fournir trop d'efforts. En effet son acquisition peut comporter une méthode de rééducation plutôt élaborée. Cela peut vouloir dire, et peut-être veut vraiment dire, des schèmes de pensées totalement renouvelés. Cela demandera certainement de la pratique, car il s'agit d'acquérir de l'adresse à un très haut degré. Fondamentalement, comme nous l'avons indiqué auparavant, un enthousiaste en profondeur a vraiment un contenu et un tonus spirituels. Voilà la véritable raison pour laquelle j'ai fait remarquer à notre ami blasé, lors du dîner au

Rotary Club, qu'il avait besoin de Dieu. Si vous voulez un enthousiasme qui produise des fruits chez vous, je dois vous dire en toute honnêteté que vous aurez aussi besoin de Dieu.

Je crois que la meilleure manière de vous faire comprendre cette vérité, c'est de vous raconter le vécu d'un homme; et l'homme à qui je pense, c'est mon ami Fred R.

Comment Fred a découvert l'enthousiasme

Fred était le fils plutôt bohème d'un père très riche qui possédait une petite entreprise des plus prospères. Il avait toujours eu une personnalité charmante et un vrai bon caractère; mais sous ces dehors insouciants il n'était pas très heureux. Il arriva donc qu'un ami l'appela pour lui demander d'aller à New Haven un soir pour entendre, lors d'un grand rassemblement, le fameux missionnaire E. Stanley Jones, aujourd'hui décédé. «Moi, aller entendre un missionnaire! Ne me fais pas rire», dit Fred. Mais son ami insista et Fred n'aimait pas déplaire à ses amis.

Jones réussit avec Fred, il le toucha vraiment. Quand Jones demanda à tous ceux qui voulaient approfondir leur vie spirituelle de rester pour une rencontre privée, Fred fut le premier à accepter. La rencontre n'était pas encore terminée qu'il avait consacré sa vie au Seigneur. Je suis d'accord pour reconnaître que c'était diablement rapide; les gens sceptiques pourraient ne pas prendre la chose au sérieux, la considérer comme superficielle et être d'avis que cela ne durerait pas, surtout chez Fred: un type comme celui-là ne persévérerait pas.

Un type comme celui-là? Il ne faut pas du tout se fier aux apparences.

Le docteur Jones disait à ses nouveaux convertis que le premier pas dans cette nouvelle vie était de se mettre à l'oeuvre franchement sans arrière-pensée et de prendre part tout de suite aux activités spirituelles. Fred était toujours emballé et se présenta chez le ministre tôt le matin.

«Qui est là?» demanda le pasteur endormi d'une fenêtre de l'étage supérieur.

«C'est Fred R., je viens me convertir. Je veux me mettre à l'oeuvre. Descendez et ouvrez.»

«Pourquoi ne vous convertiriez-vous pas à une heure respectable?» demanda le ministre, le plus sérieusement du monde.

«Prendriez-vous un café?» demanda Fred. Après s'être fait frire des oeufs, les deux hommes se retrouvèrent autour de la table de cuisine; le pasteur, cependant, était toujours un peu bouleversé. Il ne pouvait simplement pas croire ce qu'il voyait, à cette étrange lumière sur la figure de Fred. Sans doute, avait-il toujours cru au phénomène de la conversion. Se pouvait-il que cet insouciant jeune homme eût vraiment rencontré le Christ?

Grâce à un entretien autour d'une table de cuisine, des choses commencèrent à se faire jour à l'église, à la ville et chez un grand nombre de gens.

Le pasteur ne savait trop que faire de l'enthousiasme débridé de ce jeune zélote qui ne cessait de clamer à grands cris auprès du pasteur: «Engageons-nous à fond et cessons de perdre notre temps avec le christianisme.» Le pasteur nomma donc Fred membre du conseil. Lors de la première réunion, le

trésorier faisait justement rapport que l'église avait un déficit courant de 8000 $. Il sursauta.

«C'est une honte», clama-t-il, mais les plus vieux membres se souvinrent alors du Fred d'hier et se raidirent, mais il passa outre. «Commençons à recueillir les souscriptions tout de suite.»

«Il leur a fallu payer, expliqua Fred après coup, parce que je leur ai fait honte en souscrivant moi-même une forte somme.» En quelques jours seulement, ils recueillaient les argents requis pour le déficit en collectant parmi les membres. Il en choqua quelques-uns, mais il y avait quelque chose dans l'ardeur de cette âme qui laissait les gens plutôt songeurs. Cela faisait longtemps qu'ils n'avaient été acculés au mur par un humain vraiment transformé. Quelques-uns n'en avaient jamais vu au cours de leur expérience de pratiquants.

Fred organisa chez les hommes d'affaires un groupe pour discuter spiritualité et qui se réunissait une fois la semaine à l'occasion d'un repas. De fait, il fit revivre sa propre expérience. La ville commençait à s'en ressentir.

Puis, il s'essaya auprès des adolescents. Il forma un groupe qui se réunissait le dimanche matin; de nouveau, Fred s'attaqua à tous les problèmes des jeunes, je dis bien à tous les problèmes en les attaquant de front. Les jeunes l'adoraient. Pendant vingt-cinq ans il a façonné des hommes et des femmes remarquables.

Un jour, à bord d'un avion en route pour Chicago, j'ai rencontré un séduisant jeune homme d'affaires. Il me parla de son ouvrage, de son leadership au sein de sa communauté, de ce que son église signifiait pour lui. «Où avez-vous puisé un tel enthousiasme?» demandai-je.

«Il faut que vous sachiez que c'est Fred R. qui me l'a communiqué. Je suis fier d'être un de ses garçons», dit-il, les yeux mouillés d'émotion, ou peut-être était-ce les miens qui étaient mouillés.

Une fois par année, il avait pris l'habitude d'amener sa classe à bord d'un autobus à mon église de New York pour entendre mon sermon. Plus tard je finis par m'habituer à le voir, mais je n'oublierai jamais la première fois qu'il a amené son petit monde. Il me connaissait à peine, mais il téléphona pour me dire: «Bonjour, Norman. Mes accus sont à plat de même que ceux de mes élèves. Je vais les amener, dimanche; pour l'amour du ciel, essayez de les emballer.» Il nia m'avoir jamais parlé de la sorte, mais j'ai bonne mémoire.

Fred R. est certainement l'un des plus grands laïcs que j'aie jamais connus et l'un des êtres humains les plus raffinés. Son enthousiasme est réellement communicatif et il le puise directement auprès de Dieu. Ainsi donc, c'est ce que je veux dire quand je prétends qu'enthousiasme égale Dieu. Fred a fait la preuve de la formule dynamique: enthousiasme égale *en theos* (plein de Dieu).

Si j'introduis Dieu dans ma formule d'enthousiasme, ce n'est pas qu'elle origine de quelque raison compliquée et mystérieuse. C'est tout simplement parce que Dieu est la force vivante de laquelle ou de qui origine toute vie, comme le dit la Bible: «*En Lui était la vie...*» (Jean 1; 4) et encore: «*C'est en Lui que nous avons la vie, le mouvement et l'être.*» (Actes 17; 28) Dieu est vie; si donc vous ne possédez pas Dieu en vous, alors votre force vitale est à un très bas niveau. Et quand vous avez la vie, vous avez alors un enthousiasme continu, porteur de force, de vitalité et de pouvoir, en résumé, un enthousiasme qui donne un sens à toute la vie et en garantit le bonheur.

L'entrain et l'enthousiasme à la portée de tous

Comment quelqu'un ne pourrait-il pas ressentir de l'enthousiasme face à ce monde passionnant, débordant d'action? Quel dommage qu'il y ait des humains pour qui vivre n'est pas intéressant. Des réserves illimitées de goût de vivre toujours nouvelles sont à la portée de tous. Et je rencontre constamment des gens qui ont découvert ce phénomène merveilleux.

Un jour de printemps, j'ai parcouru en automobile environ deux cents kilomètres avec le plus enthousiaste, le plus exubérant des hommes que j'aie jamais rencontrés quelque part. Ce jour-là, la température variait de façon bizarre. La brise était tantôt chaude, tantôt fraîche. Un soleil resplendissant alternait avec un ciel gris, chargé de nuages et d'averses. On respirait dans la campagne la fraîcheur du printemps. La route que nous suivions ondulait par monts et par vaux.

À chaque tournant, mon compagnon y trouvait une source de ravissement. «Qu'y a-t-il de plus beau... », demandait-il en montrant les champs que nous traversions; «Qu'y a-t-il de plus beau qu'un troupeau de moutons dans une verte prairie comme celle-là?»

Quelques instants plus tard, il s'émerveillait à la vue de ces faisceaux lumineux qui perçaient les épais nuages et s'exclamait: «On dirait une lumière qui vient du ciel, n'est-ce pas?»

L'instant d'après, pointant de la main une jolie vieille maison de briques nichée dans des touffes de pins majestueux: «Ah! voilà la vieille Amérique à son meilleur!»

Apercevant un petit ruisseau qui cascadait au flanc d'une montagne et s'engouffrait sous un ponceau, il me fit observer la beauté de cette eau limpide et froide qui émergeait des roches reluisantes de propreté.

De gros nuages sombres se profilaient en roulant à l'horizon et dans un profond soupir d'émerveillement, il dit: «Jetez donc un coup d'oeil sur la grandeur sauvage de ce ciel.»

À la fin, nous nous sommes arrêtés pour faire le plein. Je me demandais alors si mon exubérant compagnon n'allait pas trouver autre chose pour piquer son admiration dans cette plus que banale station-service. Ce fut comme je m'y attendais: le long d'un mur de l'édifice il y avait trois touffes de lilas couverts de belles fleurs. Pour moi, aucune fleur ne me charme davantage que le lilas. Chaque année, j'avais hâte à cette floraison printanière. Mais jamais je n'avais été témoin d'un ravissement aussi intense face à ces grappes de lilas que celui de mon compagnon débordant de joie.

«J'ai rarement rencontré un homme dont l'enthousiasme était comparable au vôtre. D'où vient une telle flamme?» demandai-je.

«Je crois que c'est aussi le printemps pour moi, une sorte de printemps spirituel. C'est une renaissance.» Il m'expliqua qu'il avait eu une nouvelle conscience du sacré, et qu'il avait expérimenté le Seigneur comme une réalité. Il cita les paroles sublimes de saint Paul: «*Afin que nous vivions nous aussi dans une vie nouvelle.*» (Romains 6; 4)

«C'est ce que je fais», dit-il en souriant.

«Il n'y a pas de doute», dus-je admettre.

J'avais observé tant de gens reprendre vie grâce à l'enthousiasme, que je dois avouer que l'enthousiasme m'enthousiasme.

L'enthousiasme libère l'énergie pour vaincre les obstacles que vous ne pourriez pas surmonter autrement. Il donne du tonus à votre vitalité physique et vous permet d'aller de l'avant même quand la vie est dure. Il revêt les hauts et les bas de la vie quotidienne d'une force renouvelée et donne un sens à tout ce que vous faites.

L'enthousiasme, c'est quelque chose de merveilleux. Il apporte chaleur et sensibilité à toutes vos relations personnelles. Votre enthousiasme devient contagieux; il stimule les autres et devient pour eux un charme. C'est à cause de lui qu'on vous aime. On vous supporte et on s'accorde avec vous aussi.

Des gens s'objectent souvent à cette ligne de pensée et disent: «À quoi sert de savoir tout cela s'il ne vous arrive jamais d'être enthousiaste? Vous ne pouvez pas avoir de l'enthousiasme simplement en disant que vous en avez; vous ne devenez pas enthousiaste en décidant tout simplement de l'être, simplement comme ça!»

Vous pouvez devenir enthousiaste

Mais voilà où ils se trompent, et grandement. Vous pouvez *devenir* une personne enthousiaste, en affirmant simplement que vous l'êtes, en pensant enthousiasme, en parlant enthousiasme autour de vous, en agissant en personne enthousiaste. Oui, vous deviendrez réellement enthousiaste. Quand vous faites de l'enthousiasme votre compagnon de vie pendant suffisamment longtemps, il s'empare de vous, il prend possession de vous au plus intime de vous-même.

Ce phénomène est basé sur une simple loi de la psychologie. Notre nature humaine tend précisément à devenir ce que nous nous imaginons être de façon habituelle. C'est le phénomène de l'image, du portrait qui devient réalité. Maintenez certaines images dans votre conscience et celles-ci s'impriment comme sur une plaque photographique. Nous pouvons vraiment devenir l'image que nous nous faisons de nous-même. De fait, en ce moment même vous pouvez être assuré que vous êtes le produit de cette image, de ce portrait que vous avez entretenu pendant de longues années. Si vous manquez d'enthousiasme, si vous n'êtes pas heureux, remontez mentalement en arrière et faites la somme de ces images de vous-même dans vos moments de tristesse, de dépression, de négativisme dont vous avez nourri si longtemps votre conscience impressionnable toujours prête à vous obéir. Rien ne peut sortir d'une personne qui n'y ait pas été déposé au préalable. Quand allons-nous finalement comprendre ce phénomène redoutable que les images que nous entretenons édifient ou détruisent en nous ce que nous faisons?

Donc, plusieurs fois par jour, répétez: «Je pense enthousiasme, j'entretiens des images d'enthousiasme, je pratique l'enthousiasme.» Faites cela pendant un mois sans faiblir et vous aurez la surprise de votre vie de découvrir la nouvelle personne que vous serez devenue. Et votre entourage sera épaté et agréablement surpris parce que vous serez devenu tellement différent quand l'enthousiasme sera réellement votre compagnon de route.

J'ai prescrit ce traitement à tellement de gens que je n'ai assurément aucun doute de son efficacité. Soyez enthousiaste, faites-le délibérément et l'enthousiasme fera des miracles pour vous et tout ce que vous entreprenez.

Personnellement, j'ai expérimenté l'application de ces principes et de ces techniques et je leur en suis redevable. De nature, j'étais une personne négative, craintive, timide à l'extrême à cause de mes propes complexes qui me faisaient souffrir. Mais heureusement pour moi, je fus éduqué dans un foyer où l'enthousiasme régnait à plein. Nous ne possédions pas beaucoup de biens de ce monde. Le plus gros salaire qu'ait jamais eu mon père lorsque j'étais jeune était de 4000 $ par année; il est vrai que le dollar valait plus en ce temps-là, mais vous auriez pensé que nous étions les gens les plus riches du monde: nous l'étions en vérité parce que nous avions un père et une mère qui aimaient la vie. Celle-ci les fascinait, les charmait. Ils voyaient de la beauté et de l'amour partout.

Par exemple, au moment où j'écris ces lignes, je suis à bord d'un train qui sillonne la fabuleuse région de la rivière Fraser, au Colorado. C'est une splendide journée de février. Le ciel est bleu; de blancs nuages moutonnés flottent dans l'air et tout le massif des Rocheuses qui se déroulent dans le lointain est recouvert de neige. Du train en marche jusqu'au magnifique panorama des pics majestueux, on dirait que des diamants scintillent sur cette neige abondante et douce. Les énormes pins majestueux sont décorés de guirlandes de neige comme si une main magique y avait parsemé des touffes de coton, comme on le fait sur nos arbres de Noël.

Cela rappelle une vallée beaucoup moins spectaculaire dans le sud de l'Ohio; un après-midi d'hiver, il y a longtemps, j'accompagnais mon père, alors pasteur d'une petite église de campagne, à l'office religieux du dimanche. Nous voyagions à bord d'un buggy, tiré par le vieux Duck, notre fidèle cheval blanc. La neige balayait les chaumes de blé d'Inde et s'amoncelait en congères, le long des clôtures. On pouvait à peine distinguer le tracé de la route. «Sapristi, papa, la nuit va être terrible, dis-je. Il n'y aura personne à l'église, et comment diable pourrons-nous retourner à la maison?»

Un discours enthousiaste pour un seul auditeur

Mon père se mit alors à décrire la «gloire et la puissance de la tempête». Il insista sur la force des éléments, sur la beauté du paysage tout blanc. Il évoqua la douce chaleur à l'intérieur des petites maisons de ferme en bordure de la route et dont les foyers laissaient s'échapper une fumée bleuâtre. Il était un grand prédicateur et j'aimais l'entendre parler à ses ouailles. Il faisait vibrer son auditoire parce que lui-même vibrait toujours. Mais jamais je ne le vis en plus grande forme que dans ce crépuscule d'hiver alors qu'au milieu de la tempête il prononça un sermon sur la majesté de la nature, n'ayant comme auditeur qu'un petit garçon dans un buggy sur une route de campagne.

Plus tard après l'office, la tempête s'étant apaisée, Duck s'efforça de nous ramener à la maison. La pleine lune illuminait alors toute la campagne environnante de ses rayons d'argent. Papa me rappela que les tempêtes passent et qu'après, «la gloire de Dieu resplendit». Papa voyait le Seigneur en tout. C'était peut-être là la source de son merveilleux enthousiasme. En allant conduire Duck à la grange, il dit quelque chose que je n'ai jamais oublié: «Sois toujours enthousiaste, Norman, et toute ta vie sera merveilleuse.»

Eh bien, je dois admettre que je n'ai pas toujours suivi son conseil, mais il avait déposé en moi une semence de sagesse, et des années plus tard elle s'est développée. Mon métier dans la vie, c'est de prêcher et de parler. J'ai eu maintes fois le trac quand je parlais à de petits groupes; imaginez quand je parlais à de vastes auditoires. Mais l'enthousiasme qui m'a permis de surmonter mon complexe d'infériorité lorsque je montais sur les planches ou lorsque je prêchais fut pour moi une compensation.

Je n'ai rien d'un grand prédicateur et j'en suis pleinement conscient, et les quelques succès que j'ai remportés ne sont pas dus à une grande sagesse, à l'entraînement ou aux études. Ils sont dus à une formule qu'on peut exprimer en quatre points:

1. Sincérité. Sincérité absolue. Je crois toujours à cent pour cent à ce que je dis.
2. Enthousiasme. Je vibre, je suis pris à fond. Il me faut donc tout simplement le communiquer aux gens. Ils n'ont qu'à écouter et, j'espère, l'accepter.
3. Je formule le tout, langage et forme, simplement.
4. Il faut que cela soit intéressant. Comment les sujets les plus passionnants du monde peuvent-ils être présentés de façon monotone?

Dernièrement, un dimanche, je prêchais à l'église sur le sujet suivant: «L'enthousiasme, source de succès dans la vie.» Avec toute mon âme, j'ai montré aux gens quelles merveilles leur engagement à Jésus-Christ pourrait opérer dans leur vie. Mon temps s'était écoulé et je devais m'arrêter. Je me propose toujours de terminer après vingt-cinq minutes. Alors, cette nombreuse assemblée se leva et chanta cet hymne extraordinaire: «Onward Christian Soldiers» auquel notre organiste enchaîna avec l'hymne merveilleux à la gloire de Dieu: «Praise God from Whom All Blessings Flow.»

Eh bien, l'enthousiasme débordait tellement de tout mon être que je pouvais à peine me retenir de commencer sur-le-champ un autre sermon. Je ne pus résister à la tentation d'ajouter un autre mot; aussi, pendant que l'assemblée attendait paisiblement debout la bénédiction, ils furent surpris de m'entendre dire: «Mes amis, vous venez de chanter les deux plus sublimes cantiques jamais écrits. Vous êtes vibrants d'enthousiasme comme moi. En ce moment même, le coeur et l'esprit de chacun sont tournés vers Dieu. Le pouvoir sans limites de la foi est à l'oeuvre en vous. Allez maintenant dans le monde et vivez de cette foi puissante.»

Croyez-moi, en ce moment, tous et chacun dans l'église vibraient d'enthousiasme. Dans la lumière fulgurante qui inondait les gens à travers les grandes verrières, je vis que leurs visages resplendissaient d'une autre lumière, d'une lumière intérieure. Ce fut un moment inoubliable. La pratique religieuse peut être une expérience palpitante s'il y a de l'enthousiasme. Tel fut ce jour-là.

Pour ma part, je dois dire que la puissance de l'enthousiasme m'a toujours été d'un précieux secours. Voilà pourquoi j'ai toujours encouragé fortement les gens à l'utiliser eux aussi. Si elle a pu réaliser autant en moi avec mes maigres talents, elle peut aussi faire beaucoup pour vous, c'est certain.

J'ai eu la chance de parler devant plusieurs congrès d'hommes d'affaires ou de vendeurs. Je voudrais vous parler d'un vendeur que j'ai rencontré lors d'un congrès national.

Allumez en lui une flamme

Il n'avait pas l'habitude d'assister à des congrès auxquels évidemment assistent des hommes qui veulent améliorer leur performance, c'est-à-dire de vrais producteurs. Cet homme n'avait pas assez de détermination par lui-même pour aller à un congrès de travail. La motivation, c'était justement ce qu'il ne possédait pas. Il était là parce qu'il avait un patron qui se préoccupait de ses hommes et qui avait vraiment pris la chance de le placer sur la liste de voyage «dans le faible espoir», comme l'insinuait l'employeur, «de pouvoir ranimer ce personnage. Il a de l'étoffe, si seulement on pouvait le motiver. J'aimerais, si possible, que vous puissiez prendre le temps de lui parler après votre discours. Mettez-le sur la braise si vous le pouvez.»

«Ne pensez-vous pas qu'il vaudrait mieux au contraire allumer la flamme en lui?» répliquai-je.

Au dîner, pendant que je parlais dans la salle de bal du Conrad Hilton à Chicago, je vis en face de moi mon ami l'employeur, assis à une table plus bas. Quand il se rendit compte que je le regardais, d'un signe il me désigna prudemment son voisin, comme en voulant dire: «C'est lui, occupe-toi de lui.»

Le vendeur était, sous toute réserve, un garçon aimable, un de ces hommes de talent détendu... mais trop détendu et peut-être trop talentueux aussi. Il écoutait mes propos et je sentis qu'il s'intéressait peu à ce que je disais. Après la réunion, il vint de lui-même à la table d'honneur; je soupçonnais cependant qu'on l'y avait dirigé. Il voulait savoir si on pouvait causer un peu. Je le fis monter à ma chambre au vingtième étage d'où le panorama sur Michigan Avenue et le lac Michigan était magnifique. Le soleil rayonnait à travers la fenêtre.

«Je suis un vendeur sans valeur, amené ici par son patron, un maudit bon garçon, qui se trompe rudement en espérant pouvoir faire un vendeur de moi.» C'est ainsi que débuta la conversation.

«Penseur négatif, hein? répondis-je. Qui se dénigre lui-même, avec un fort désir d'échouer.» C'était plutôt à moi que je parlais, comme si je faisais une analyse objective. C'est ce que je faisais réellement.

«Répétez cela de nouveau, s'il vous plaît.»

Je répétai en ajoutant: «Réaction mentale léthargique, absence de facteurs de motivation. Se ressent probablement de son enfance et sa femme ne le comprend pas.»

Il se leva soudainement de sa chaise.

«Je pensais que nous ne nous étions jamais rencontrés. Qui vous a renseigné sur mon compte? Vous me connaissez parfaitement.»

«Personne ne m'a renseigné. Votre patron m'a parlé de vous, il a confiance en vous, le Seigneur seul sait pourquoi. Je ne vois cependant rien de plus qui mérite la confiance.» Je m'empressai d'ajouter: «Je sais qu'il y a quelque chose en vous qui ne s'est jamais encore révélé et en quoi il vaut la peine d'avoir confiance.»

«Diable, vous êtes un dur de personnage. Je croyais que les ministres étaient des gens doux», dit-il.

«Cela dépend du traitement requis. Nous sommes doux quand c'est nécessaire et dur quand la dureté est indiquée. L'objectif, c'est d'aider le patient et en ce cas, c'est vous.»

«D'accord, je vais tout vous dire. Tout ce que vous dites est vrai et bien davantage, mais il y a une chose dont je n'ai pas été coupable, c'est le sexe. J'ai été à cent pour cent fidèle à ma femme. Je ne bois pas beaucoup. Vraiment, je suis un type tout à fait moral. Je déteste les brutalités, le langage obscène. Je suis rustre, paresseux, apathique, triste et vous avez raison au sujet de mes parents et de ma femme: ils essaient toujours de me donner des ordres.» Découragé, il s'enfonça soudainement dans sa chaise. «En outre, les temps sont durs et la vente est pénible.»

«Bien, voici votre ordonnance», dis-je en la griffonnant sur un bout de papier de la papeterie de l'hôtel. J'ai même écrit un Rx comme ils le font sur les ordonnances médicales «Cela veut dire *prenez cela,* dis-je. Et rappelez-vous, une ordonnance est sans valeur à moins qu'on en suive les directives.»

Pratiquez l'enthousiasme tous les jours

Il regarda attentivement le papier: «Pratiquez l'enthousiasme tous les jours.» Il me regarda avec un air embarrassé. «Je n'ai pas d'enthousiasme du tout. Il faut que j'en aie avant de pouvoir le pratiquer.»

«Oh, non, dis-je, faites l'inverse. Commencez à le mettre en pratique et vous en aurez.»

«Mais comment commencez-vous? Voyez-vous, je croyais que vous prieriez avec moi.»

«Patience! Je n'en ai pas encore fini avec vous. La prière viendra à son heure. Comment diable pouvez-vous espérer voir votre motivation stimulée à moins d'aller puiser à la principale source du dynamisme?»

Je lui fis donc commencer sa première leçon. «Levez-vous, marchez autour de la pièce et commencez à dresser la liste des choses que vous voyez et qui vous enthousiasment.» Il fit le tour et finalement dit: «Je ne vois rien du tout.»

«Vous êtes tout à fait aveugle. Comment s'appelle ce sur quoi vous vous appuyez pour marcher?»

«Eh bien, mes pieds sans doute.»

«O.K. Inscrivez numéro un. Pensez que vous avez deux pieds. Comment vous sentiriez-vous si vous n'en aviez qu'un ou si vous n'en aviez pas? Il n'y a rien comme nos deux bons vieux pieds quand nous avons des jambes pour les supporter.»

«Je n'ai jamais pensé à cela», dit-il.

«Oui, je sais qu'il y a un tas de choses auxquelles vous n'avez jamais pensé, mais vous allez changer votre manière de voir. Que voyez-vous encore?» demandai-je.

«Mes mains, mes bras, mes yeux, mon nez, ma bouche, ma tête; je suis en avance sur vous.» En vérité, il comprenait vite. «Regardez ce soleil qui inonde la chambre», s'exclama-t-il. Il tira les rideaux. «Et au-dehors, voyez cette large artère et le lac bleu dans le lointain. Je comprends. Il s'agit de s'enthousiasmer pour tout. C'est cela, n'est-ce pas?»

«Oui, c'est cela, dis-je. Et au fur et à mesure que vous pratiquerez cela, cela deviendra une seconde nature chez vous. Bien plus, vous vous rendrez compte que votre sensibilité devient plus aiguë. Au fond de votre conscience vous aurez une perception nouvelle des choses, une perception beaucoup plus pénétrante. Quand cela se produira, vous la reconnaîtrez, car alors vous goûterez un bonheur exquis. Cela voudra dire qu'enfin vous êtes vivant et que la description que vous faisiez de vous-même, apathique, paresseux, triste, ne s'applique plus à vous. L'enthousiasme va réellement commencer à vous transformer.»

«Que diriez-vous de prier?» demanda-t-il au moment où je me préparais à partir pour l'aéroport.

«Certainement, prions», dis-je. Il y eut un moment de silence entre nous. «Eh bien, commencez à prier», dis-je avec empressement.

«Oh, vous voulez que ce soit moi qui prie. Je n'en ai pas l'habitude.»

«Il n'y a pas de meilleur temps pour en prendre l'habitude», répliquai-je.

«Mon Dieu, dit-il en hésitant, je ne veux plus être ce que j'ai été et que je ne serai sans doute plus. Je Vous en prie, rendez-moi enthousiaste à mon travail, dans la vie, pour tout. Seigneur, Vous êtes merveilleux. Amen.»

«Comment se fait-il que vous ayez ajouté cette dernière phrase?» demandai-je dans ma curiosité.

«Je ne sais pas. Ça m'est venu tout d'un coup de Lui dire qu'Il est merveilleux.»

«Vous aussi, vous l'êtes, mon cher ami, dis-je. Et comme on dit, tout cela ne sera rien si vous continuez de mettre en pratique le programme sur l'enthousiasme: je sais d'ailleurs que vous le ferez.»

Mon but n'était pas de faire d'un vendeur médiocre un bon vendeur. C'était plutôt d'aider un homme à moitié mort à revenir pleinement à la vie. Puisqu'il avait appris à s'intégrer activement à la vie, je savais qu'il lui serait plus facile de communiquer et par le fait même de s'assurer de meilleures ventes. Il possédait la technique nécessaire. Il lui manquait seulement de savoir comment le faire, ce qui est également un élément essentiel. Mais au fur et à mesure que croissait son enthousiasme, les gens qui l'avaient connu indolent, endormi, à moitié éveillé, furent renversés du changement opéré dans son apparence extérieure et dans l'amélioration de sa production.

Achille, le premier parmi les grands dramaturges de la Grèce antique, déclarait: «Le bonheur prend sa source dans la santé de l'âme.» Une âme en santé, cela veut dire bienveillance au lieu de haine, don de soi au lieu d'égoïsme, communication au lieu de repli sur soi, enthousiasme au lieu de cynisme et foi au lieu de doute.

Il est merveilleux de vivre à une époque comme celle-ci

Tous les jours, appliquez-vous dans la joie à être enthousiaste. Habituez-vous à apprécier les oeuvres du Créateur jusqu'à ce que vous le fassiez spontanément. Rendez grâce tous les jours pour les dons reçus. Prenez l'habitude d'avoir des pensées joyeuses. Faites plus qu'à l'accoutumée pour rendre les autres heureux. Voilà votre recette de vrai bonheur et d'enthousiasme; en outre, c'est rentable. Vous apprendrez à connaître la joie de vivre à une époque comme la nôtre.

C'est un fait que vous et moi sommes en grande partie le résultat de ce que nous pratiquons. Si vous pratiquez le négativisme, vous aurez des résultats négatifs. Il ne pourrait en être autrement car vous êtes devenu un as en négativisme! Pratiquez l'échec et vous pourrez être pratiquement assuré d'échouer. Pratiquez l'enthousiasme dans les plus menus faits divers et bientôt l'immense puissance de l'enthousiasme commencera à opérer des merveilles en vous.

À la fin de ce chapitre, il est de mon devoir de vous avertir que le passage du désoeuvrement à l'enthousiasme n'est pas nécessairement facile ni rapide. Il y a un mot peu usité de nos jours que vous pourriez placer au coeur de votre vocabulaire. C'est le mot *persévérer.* D'une certaine façon, on peut dire ce qui arrive à un pays selon l'usage plus ou moins fréquent que vous faites des mots. Aux jours mémorables où des hommes laborieux, pleins d'idéal faisaient des États-Unis le pays formidable qu'ils sont devenus, les mots importants étaient *honnêteté, travail, économie* et *persévérance.*

Ces mots ont subi ces dernières années une décroissance d'usage remarquable et cela pourrait être le symptôme de ce qui ne va pas chez nous. À mon avis, on devrait les remettre en circulation. En tout cas, c'est un fait que pour acquérir de l'enthousiasme, pour acquérir cette qualité qui la rend possible chez une personne, il faut persévérer. Mais le résultat final en vaudra bien l'effort malgré le temps et l'application requis.

Par exemple, prenez le cas de la femme qui m'a écrit cette fascinante lettre. Elle était rédigée sur du papier à lettres féminin décoré de roses rouges sur un fond de rose pâle. Ordinairement, ce n'est pas dans mes habitudes de me servir d'un tel papier de luxe. Mais quand j'eus fini de lire cette lettre, j'aurais sur-le-champ pris pour acquis qu'il y avait une bonne raison pour le petit air de fête de ces roses. Elle provenait d'une femme de l'Indiana qui venait de passer d'une longue période de malheurs et de frustration aux joyeuses émotions d'une vie transformée. Elle écrivait:

> Il y a huit ans, j'étais plongée, c'est le moins qu'on puisse dire, dans un état de négativisme. Sachant qu'il me fallait faire quelque chose, j'ai décidé de relire la Bible et de me livrer régulièrement à la prière et à la méditation pendant une heure. Peu de temps après, j'avais la chance de mettre la main sur votre livre *The Power of Positive Thinking.* J'ai essayé les moyens techniques que vous y décriviez. Durant deux ans d'affilée, j'ai étudié, médité, prié, j'ai exercé une discipline sur moi et aucun changement ne fut apparent.

Notez bien «deux années d'affilée». Elle faisait vraiment preuve de persévérance, n'est-ce pas? Lors d'un programme d'efforts quotidiens, combien facilement beaucoup de gens ne se découragent-ils pas après deux semaines d'essai? Mais cette femme a continué pendant deux longues années, même en ne voyant toujours pas de résultats. C'est vraiment quelque chose, croyez-moi.

> Puis un soir, alors qu'il était tard et que tous étaient couchés, lit-on dans la lettre, alors que j'étais bien

> consciente d'avoir fait presque tout ce que je pouvais pour améliorer la situation...

Nous voici au point critique où l'issue est incertaine, où il y a grand danger de se décourager et d'accepter la défaite, où il y a même danger de perdre la foi en Dieu et de devenir amer. Quand vous ne savez plus à quel saint vous vouer et avez l'impression très forte d'avoir fait tout votre grand possible, que voulez-vous faire? Eh bien, voilà justement le moment de persévérer et de continuer à persévérer. Qu'a fait cette femme?

> Je m'agenouillai, écrit-elle, et à haute voix je dis toute ma peine au Seigneur. J'ai prié comme jamais auparavant je n'avais prié. Cette paix merveilleuse m'envahit et la douce chaleur d'un certain amour m'enveloppa. Comme je l'ai compris plus tard, j'avais atteint le parfait abandon après une période de pénitence et de souffrances selon la volonté de Dieu.
>
> Alors les choses me sont apparues dans toute leur clarté. Les passages des Écritures que j'avais lus jusqu'à saturation ont pris un autre sens. Le monde entier paraissait différent. Il me semblait voir les arbres, les fleurs, leurs parfums pour la première fois, comme si maintenant j'avais une autre compréhension de la vie.
>
> L'expérience a changé toute ma vie. Ce fut si merveilleux que lorsque j'en parle, j'oublie parfois de mentionner la guérison physique qui s'est opérée en moi tellement la guérison de l'âme est pour moi plus importante. Trois troubles physiques furent éliminés, deux dus à des conditions organiques et un autre d'ordre fonctionnel. Les troubles organiques avaient été si douloureux que j'avais

été sous l'effet de barbituriques la plupart du temps; cependant, dans les années qui ont suivi, les troubles ne sont jamais réapparus.

Le jour suivant, j'ai commencé à faire un grand nettoyage dans toute ma vie, faisant le partage du bon et du mauvais là où je pouvais.

Maintenant, je me sens vraiment joyeuse, même au milieu de situations embarrassantes, et j'ai un courage qui me surprend. La peur a disparu et je suis sûre qu'il y a un au-delà, un très bel au-delà. Dieu m'a rendue capable d'expérimenter une renaissance ou un réveil de l'âme qui s'améliore sans cesse. Quelle vie passionnante!

Je fais de mon mieux pour être de quelque utilité aux autres, aux gens malheureux, et voir un commencement de changement dans leur vie.

Toute une lettre, n'est-ce pas? Cette personne a découvert quelque chose qui a tout changé chez elle. Quand, du fond de l'abîme, vous entrez en relation harmonieuse avec la bonté de Dieu, quand vous vous disciplinez et persévérez dans cette orientation, et que votre persévérance est réelle, vous vous mettez dans un état où la puissance de Dieu va inonder votre vie.

Alors l'enthousiasme tout puissant va se mettre en branle et réellement opérer en vous. Résultat! Au lieu d'être dominé par la vie, vous en deviendrez maître. Les choses seront très différentes et très passionnantes. Comme un penseur positif sous l'effet de l'inspiration, vous serez motivé pour vivre, pour très bien vivre à l'heure d'aujourd'hui.

Comment demeurer sous le charme de l'enthousiasme

1. Enthousiasme est un mot qui signifie rempli de Dieu. Donc pour être enthousiaste, remplissez votre esprit de Dieu.
2. Les écueils de la vie ne peuvent venir à bout d'une personne dont l'esprit se réchauffe au feu de l'enthousiasme. Ce n'est que lorsque l'enthousiasme se refroidit que vraisemblablement on s'écroule.
3. Si vous manquez d'enthousiasme, renaissez spirituellement. Cette expérience vous fera revenir à la vie. «*Afin que nous vivions nous aussi dans une vie nouvelle.*» (Romains 6; 4)
4. Chaque jour, rappelez-vous ce dont vous êtes capable, rappelez-vous vos bonnes dispositions et répétez que vous êtes réellement capable de faire quelque chose de bien avec votre vie.
5. Videz votre cerveau de ces vieilles pensées de mort et faites renaître votre coeur et votre esprit. Une nouvelle naissance donne une fraîcheur nouvelle à la personnalité.
6. Désirez ardemment une vie remplie de charme et de poésie et soyez ouvert aux beautés de la nature.
7. Pour avoir de l'enthousiasme, appliquez-vous à être enthousiaste.
8. Vous pouvez devenir enthousiaste en affirmant votre enthousiasme dans vos pensées, vos paroles et vos actes.
9. Chaque matin, chaque soir et souvent au cours de la journée, remerciez le Seigneur pour tout.
10. Persévérez dans votre recherche de Dieu. Quand vous L'aurez trouvé, l'entrain et l'enthousiasme de votre coeur déborderont de tout votre être.

Pensées et conditions mentales saines

Il y a des gens qui ont trouvé la santé, la vitalité et un accroissement de leur vigueur grâce à des pensées saines et plus spécialement grâce à des pensées d'ordre spirituel.

L'un d'eux est un brillant étudiant universitaire qui avait développé une dépendance servile aux drogues. Perfectionniste, il était devenu la proie d'une tension fébrile de l'esprit, maladie qui semble prendre des proportions chez les jeunes. Comme l'indique sa lettre, ce garçon découvrit le secret d'une santé émotionnelle et physique. Il raconte si bien sa propre histoire que je la cite au texte:

> Je suis un étudiant de première année, immatriculé à la faculté de génie, section chimie, de l'Université de l'Illinois. Tout au long de mon secondaire, je fus perfectionniste, travaillant pour obtenir des diplômes et faire suffisamment d'économies pour poursuivre mon éducation. Comme résultat, lors de la remise des diplômes, je me classai premier parmi trois cents étudiants, je reçus la plus haute récompense en science décernée par mon école, j'avais épargné assez d'argent pour aller au collège, je m'étais acheté une voiture, j'avais une garde-robe bien montée et des tas de sous à dépenser, je courtisais une fille merveilleuse, membre de la même église que moi, dont j'étais profondément épris. Selon les standards

habituels, je suppose que j'aurais dû me considérer comme très fortuné, mais ce que je désirais le plus me manquait: la paix intérieure.

Quand j'arrivai ici en septembre, j'ai immédiatement commencé à agir de la même façon qu'au secondaire. À la fin du premier semestre, j'obtenais une moyenne de réussite de 96 %, mais quand je revins à la maison pour les vacances semestrielles, mes nerfs étaient dans un tel état que je ne pouvais pas m'arrêter de trembler. Mon père insista pour que je vois un médecin. J'ai recommencé à prendre des pilules en très grande quantité, mais je ne pouvais toujours pas me calmer. Tout mon être était vraiment dans un état d'effondrement.

C'est à ce moment-là que ma mère me remit une série de vos sermons et ce fut le début d'un miracle. Lors de mon retour pour le dernier semestre, je lisais vos textes aussi régulièrement que possible et on ne peut pas croire toute la paix intérieure, toute la confiance que j'y ai puisées Mes nerfs se sont calmés et depuis lors je n'ai plus jamais fait usage de pilules. J'ai une boîte de pilules sur ma commode pour me rappeler à quoi elles m'ont servi avant que je m'en remette entre les mains de Dieu.

L'expérience positive de cet étudiant ne se déroule pas toujours, dois-je le dire, avec une rapidité aussi apparente; elle rappelle cependant cette amélioration de bien-être qui peut être réalisée grâce à un procédé spirituel de l'esprit qu'on appelle l'exercice de la présence de Jésus-Christ en soi. Une vraie rénovation, une remise à neuf de la manière de penser est souvent le résultat d'un usage délibéré et réfléchi de cette technique spirituelle.

Le cas de l'homme d'affaires tendu

Permettez-moi de vous parler d'un autre cas. Récemment, un homme d'affaires me rappelait notre rencontre dans un train il y a quelques années au moment où il était dans un état de crise aiguë et de tension nerveuse survoltée. Il se souvenait que je lui avais conseillé cette technique de la présence de Jésus-Christ dans son esprit comme un correctif à son problème.

De fait, je me rappelle très bien l'incident. Je me dirigeais vers la salle à manger à l'arrière du wagon, quand je remarquai cet homme que j'avais connu il y a longtemps, en train de boire son café à une table et de fumer. «Assoyez-vous, dit-il, vous voulez une tasse de café?»

«Certainement. Comment allez-vous?»

«Clopin-clopant, dit-il, de fait, ma santé est très chancelante.»

Nous avons causé, et après que j'eus bu ma tasse de café, il m'en proposa une autre. «Non, une me suffit», dis-je.

«Bien, murmura-t-il, il m'en faut boire une autre.» Durant ce peu de temps que je passai avec lui, il vida deux carafes de café, ce qui veut dire quatre tasses, et une cigarette n'attendait pas l'autre. Je remarquai que sa figure était agitée, que ses mains tremblaient, que ses doigts étaient gauches: je lui demandai quelle en était la cause.

«La cause! répéta-t-il. La cause! Ce serait la même pour vous, si vous aviez essuyé les coups d'un tas de gens qui vous trompent, qui vous minent, qui essaient de vous couper l'herbe sous le pied et autres choses semblables.» Il commença à me parler de ses problèmes, des situations compliquées et mêlées ou plutôt de ses attitutes troubles face aux problèmes. Il revendiquait principalement le droit d'être président de la compagnie, mais on lui avait préféré quelqu'un de l'extérieur et il était demeuré vice-président exécutif. Ceci le minait vraiment par l'intérieur et plus il parlait, plus j'étais convaincu qu'il y avait là un important facteur de désintégration de sa personnalité.

Alors, il dit: «Garçon, une autre carafe de café, s'il vous plaît.» Nerveusement, il alluma encore une autre cigarette.

«Ce n'est pas de cette façon que vous aurez réponse à votre problème, lui dis-je. Heureusement que ce n'est pas du whisky que vous buvez.»

«D'où me viendra ma réponse?» demanda-t-il.

Je savais qu'au fond, c'était un homme religieux. Je lui donnai donc une formule spirituelle qui s'était avérée efficace en d'autres circonstances. J'ai pensé qu'une formule non compliquée pourrait faire contrepoids à son obsession destructive. Je lui conseillai tout simplement de commencer à prendre conscience de la présence de Jésus-Christ et d'y penser régulièrement. «En tout cas, à quel moment cette tension qui vous tracasse de façon si intense a-t-elle lieu si ce n'est dans un état aigu de nervosité? poursuivis-je. Pour surmonter cette tension, appliquez-vous à vivre en esprit avec Jésus-Christ aussi souvent que possible. Remplissez votre esprit de sa présence jusqu'à saturation.» Je remarquai l'étonnement sur sa figure.

«Faites réellement cela, l'exhortai-je. Cette suggestion n'est pas un luxe. Chaque jour, pensez à Lui le plus souvent possible. Remplissez votre esprit en pensant à Lui. Priez souvent tous les jours. En marchant, en conduisant l'auto ou en travaillant, dites de brèves prières. Répétez ses paroles en les laissant se fixer au plus profond de votre conscience. Comme vous faites du Christ l'objet principal de vos pensées, sa présence va vraiment et réellement s'emparer de vous. Cette rénovation intérieure de votre manière de penser sera d'une grande importance pour guérir l'éventuelle impossibilité d'en arriver à la paix, à un nouveau contrôle de vos réactions émotionnelles.»

Il me remercia poliment, mais j'ai senti une absence de conviction quand je descendis du train à North Philadelphia. Il m'a dit plus tard qu'à ce moment-là il croyait qu'il s'agissait sans doute d'un autre conseil spéculatif de la part d'un prédicateur théorique. Quelle relation possible Jésus-Christ pouvait-il entretenir avec le monde des affaires ou l'état de santé physique d'une personne? Il n'avait jamais rien entendu de tel à l'église.

Cependant, son état de nervosité s'aggrava progressivement au point qu'il se rendit compte qu'il lui fallait absolument faire quelque chose; il décida donc d'expérimenter la méthode que je lui avais suggérée sur le train. Ceci se passait il y a quelques années. Récemment, cet homme disait: «Cette manière de penser a changé toute ma vie. Je fus lent à l'accepter et il ne fut pas facile d'y être fidèle, mais en toute honnêteté, je peux dire qu'elle a amélioré mes états mental, physique et spirituel. Elle m'a fait acquérir un contrôle de l'esprit qui m'a conduit à une amélioration de mon système nerveux, puis c'est mon état physique qui s'est amélioré. Je devins maître de moi. Elle m'a aidé à me repenser.» La valeur de son expérience spirituelle fut possible grâce à la franche coopération et au soutien amical qu'il accorda au président de sa compagnie.

Elle lui a aussi enseigné des faits réels comme lui-même en témoigne: «J'ai vu que je n'étais pas prêt à être président de ma compagnie et de fait je fus même surpris que les directeurs me laissent jouer second violon.» Plus tard, lors de la retraite du président, il fut promu à la présidence: à ce moment-là, il était prêt.

«J'ai découvert que la méthode de guérison décrite dans la Bible est encore valable, me disait-il en ajoutant cette remarque: je me rends compte maintenant que lorsque je vous ai rencontré ce jour-là dans le train, mes problèmes n'étaient pas des problèmes d'affaires. C'est moi qui étais le problème. Mais il me fallut beaucoup de temps pour commencer à comprendre ce fait.»

Le pouvoir de guérir est toujours disponible

Le même pouvoir de guérir est toujours à la disposition de ceux qui le désirent assez pour croire, pour demander et pour établir l'esprit dans une attitude de foi conforme aux conditions de guérison. Rappelez-vous que Jésus-Christ a dit: «*Si tu peux!... tout est possible à celui qui croit.*» (Marc 9;23) L'habitude de vivre en esprit avec le Christ vous rend capable d'avoir ce supplément de foi requis pour des résultats additionnels.

Ceux qui suivent le Christ aujourd'hui ne réalisent pas ou n'apprécient pas suffisamment le pouvoir formidable qu'Il leur a donné. Comme c'est triste de voir qu'un aussi grand nombre soit vraiment dans l'obligation de se traîner dans la vie dans un demi-sommeil, sous la normale, presque battu, fatigué, nerveux, découragé. Cette espèce d'existence misérable ne peut pas être ce que Dieu a voulu pour vous ou pour moi. Écoutez cette promesse merveilleuse: «*Voici que je vous ai donné le pouvoir de fouler aux pieds serpents, scorpions et toute la puissance de l'Ennemi et rien ne pourra vous nuire.*» (Luc 10; 9) Pourquoi ne pas utiliser notre pouvoir dans cette vie? C'est tout ce dont nous avons besoin pour vivre à l'heure actuelle ou dans un autre temps.

Il se peut que notre échec soit dû en partie à cette notion qui subsiste encore que la guérison par la foi ne se produit pas aujourd'hui comme au temps du Nouveau Testament, quoiqu'il soit cependant évident que les preuves du contraire s'accumulent sans cesse. Il y a encore des gens qui croient fermement que Jésus-Christ a guéri des malades au premier siècle de l'Église et qui trouvent difficile de croire que ce même pouvoir agit encore aujourd'hui et cela, en leur faveur. Ils disent avec tristesse que l'âge des miracles est révolu. Aujourd'hui, c'est grâce aux moyens médicaux que l'on guérit... quoique la foi aide, ajoutent-ils d'ordinaire dans un mouvement de piété. Pour eux, la foi ne fait qu'aider le médecin; son rôle principal, c'est de placer le patient dans un meilleur esprit et stimuler en douceur le processus de guérison.

La guérison divine est réellement un processus scientifique parce qu'elle relève d'une loi, une loi spirituelle qui est l'expression supérieure de la loi. Et il y a des guérisons qui se produisent aujourd'hui. Prenez la lettre de cette femme dont les déclarations ont été reconnues authentiques après vérification:

> Il y a six semaines lors d'un dîner à l'édifice des Nations unies, madame Peale m'a invitée à vous faire parvenir l'histoire de la guérison de mon mari.
>
> Roy était né avec une très grande déficience de la vue. Il n'avait aucun contrôle musculaire sur son oeil gauche. Il ne voyait presque rien de cet oeil et son oeil droit était affaibli. Pour lire, il portait des verres très épais et une autre paire de lunettes pour travailler sans lesquelles il n'était pas en sécurité même autour de la maison. En

outre, il y avait des périodes où ses yeux le faisaient souffrir; cela avait débuté à l'adolescence et était devenu plus fréquent avec les années: c'était très douloureux. Juste avant la guérison, ce phénomène se produisait une ou deux fois par jour. Durant une année entière nous avions prié le Seigneur de le guérir.

Nous étions au dernier dimanche de juin et nous avions écouté l'émission de radio d'Oral Roberts. À la fin de sa prière, je dis: «Un homme dont la guérison vient d'avoir lieu enlève ses verres.» Sur-le-champ, il enleva ses verres et il n'en a pas eu besoin depuis. Il pouvait voir mieux sans ses verres que jamais auparavant et ses crises cessèrent immédiatement. Le processus de guérison se continua durant cinq jours. Durant chacun de ces jours, il avait un sentiment d'espoir au fur et à mesure que se déroulaient les étapes de guérison. D'abord le brouillard se dissipa, puis après une heure et demie de clignotements de l'oeil gauche, il s'aperçut qu'il avait le contrôle musculaire de cet oeil; les lignes droites qui jusqu'ici avaient des formes de zigzag apparaissaient maintenant telles qu'elles étaient; la vue au loin continuait de s'améliorer.

Qu'est-ce qui m'a fait dire à mon mari d'enlever ses verres parce qu'il avait été guéri? À ce moment-là, j'étais intriguée et je ne comprenais pas ce qui se passait. Maintenant je sais que c'est l'impulsion de l'Esprit-Saint.

Si ce témoignagne peut être de quelque utilité et aider les autres à croire en Dieu, vous pouvez vous en servir comme bon vous semblera. Nous avons tellement de promesses divines: «*C'est pourquoi je vous dis: tout ce que vous demandez en priant, croyez que vous l'avez déjà reçu et cela vous sera accordé.*» (Marc 11; 24) «*Confessez donc vos péchés les uns aux autres et priez les uns pour les autres afin que vous soyez guéris. La supplication puissante du juste a beaucoup de puissance.»* (Jacques 5; 16) *Si notre coeur ne nous condamne pas, nous avons pleine assurance devant Dieu: quoi que nous lui demandions, nous le recevons de Lui.»* (Jean 3; 21, 22)

Évidemment, vous pouvez maintenant citer des cas de gens qui ont imploré leur guérison dans leurs prières et n'ont pas été exaucés. Moi aussi, je le peux. De fait, j'ai imploré la guérison et je n'ai pas été exaucé. Mais cela ne veut pas dire que d'autres n'ont pas obtenu cette grande faveur. Si je prie sans être exaucé, cela veut dire simplement que je ne prie pas correctement ou qu'il y a en moi des barrières qui font obstacle à la puissance de guérison ou encore que la réponse à ma demande est non. S'il en est ainsi, je dois avec soumission modifier ma prière pour une plus appropriée où je recevrai la force de vivre avec mon problème et d'en découvrir les aspects créateurs. La réponse à une prière peut être triple: «oui», «non», ou «attendez un peu».

La guérison d'un vieil ami

Il se peut que ceux qui ont été guéris aient vécu cette grande expérience afin qu'ils approfondissent leur vie intérieure et donnent à leur âme une vue plus profonde des choses. C'est le cas de mon vieil ami H. S., par exemple.

Il y a trois ans, alors que j'étais en Suisse, je recevais une lettre de la soeur d'un homme qui avait été mon confrère de classe au cours secondaire. Elle écrivait que son frère H. S. avait subi des examens médicaux, que le verdict révélait une maladie incurable, qu'on ne lui prédisait que quelques mois de survie. Elle me suppliait de demander la guérison de son frère dans mes prières, ce que je fis de grand coeur. Des semaines, des mois s'écoulèrent et j'étais toujours sans nouvelles.

Plus de deux ans plus tard, j'étais invité à prendre la parole en Indiana. À l'extérieur de la salle du congrès, un homme s'avança vers moi et dit: «Hello, Norman.»

Je présumai qu'il s'agissait d'un vieil ami que je ne reconnaissais pas. «Où vous ai-je vu la dernière fois?» demandai-je.

«Lors de la collation des diplômes au secondaire», me répondit-il. Oui, il s'agissait de H. S. Il avait appris par les journaux que je devais prendre la parole ce jour-là, et il avait parcouru cinquante kilomètres en automobile dans l'unique but de me saluer. «Je ne dispose que de quelques minutes, dit-il, il me faut m'en retourner. Je suis réellement occupé.»

«Permettez que je vous regarde, H. S. Il y a deux ans en Suisse...» Il m'interrompit alors pour me dire qu'il était au courant de la lettre de sa soeur. Puis il me raconta ce qui était arrivé.

Peu de temps après qu'il eût appris qu'il était atteint d'une maladie incurable, il était retourné à la clinique subir d'autres examens et on avait dû l'aider à sortir de sa voiture. Les médecins disaient ouvertement qu'il ne serait peut-être pas capable de retourner chez lui. Alors il prit la décision de ne plus lutter contre sa maladie, mais de remettre le tout entre les mains de Dieu: ses craintes, sa vie, en un mot, tout. «Dieu a été bon pour moi, dit-il. Et puisqu'Il le voulait, j'étais d'accord avec Lui. J'ai tout simplement dit au Seigneur que je L'aimais.» Telle fut sa conclusion, toute simple, mais touchante.

Puis un après-midi, alors qu'il était seul dans sa chambre, il ressentit tout à coup une très grande paix, comme si l'amour de Dieu l'avait complètement inondé. Il avait l'étrange impression que Dieu lui avait accordé un regain de vie. Avant le dîner, il prit la décision de quitter la clinique et de retourner chez lui le lendemain matin. Les médecins hésitèrent beaucoup, mais devant son insistance, ils l'autorisèrent à quitter l'hôpital. Il conduisit seul sa voiture pour retourner chez lui sur une distance de mille deux cents kilomètres. Cet effort ne l'a pas affecté. «Depuis, je n'ai jamais rien ressenti, affirma-til et il y a deux ans de cela.»

Sur-le-champ, une pensée me vint à l'esprit: ne s'agissait-il pas seulement d'un sursis temporaire? H. S. lut sans doute ma pensée, car il ajouta: «Oui, c'est peut-être temporaire. Mais la vie elle-même n'est-elle pas temporaire? Il n'importe vraiment pas maintenant de savoir combien de temps je vivrai. J'ai goûté à la merveilleuse expérience de la présence créatrice de Dieu et maintenant, dans la vie ou dans la mort, je suis en paix. Voilà ce qui m'importe actuellement.»

Il n'y a qu'une sécurité à l'heure que nous vivons

Il n'y a certainement pas plus grande richesse au cours de la vie humaine que cet état d'esprit auquel était parvenu notre vieil ami; c'est une sécurité en profondeur que rien ne peut perturber quels que soient les événements. Il n'y a vraiment qu'une seule sécurité en ce monde, une seule, l'union de l'âme avec la réalité suprême, Dieu notre refuge et notre force. C'est la seule sécurité valable. Et H. S. l'avait trouvée.

Les gens sages s'appuient sur des pensées de foi positive pour améliorer leur santé. C'est un fait bien connu que les pensées peuvent faire beaucoup pour vous rendre malade ou vous rendre la santé, du moins partiellement. Les bonnes pensées stimulent la santé, les mauvaises incitent à être malade et parfois même causent la maladie. Un médecin m'a dit: «Il y a des gens qui drainent vraiment dans leurs corps les pensées maladives de leur esprit.» Interrogé à préciser la nature de ces pensées maladives, il disait: «Oh! Les pensées ordinaires. La peur en est certainement une, de même que la culpabilité. Une autre, c'est la tristesse ou le découragement. Sans doute, une des pires est le ressentiment. Celle-ci les rend vraiment malades. De fait, si on éliminait de l'esprit des gens la peur et le ressentiment, je crois que notre population hospitalière serait réduite de moitié; elle serait du moins beaucoup diminuée.»

Les effets du ressentiment

Les mauvais effets du ressentiment deviennent compréhensibles si on considère la sémantique du mot ressentiment: c'est un mot dérivé du latin qui signifie sentir de nouveau. Par exemple, supposons que quelqu'un vous a fait du tort. Vos sentiments sont blessés. Vous retournez chez vous et dites à votre épouse: «Sais-tu ce qu'il a fait?» Et au moment où vous lui dites cela, vous ressentez de nouveau la blessure. La nuit venue, vous pouvez vous éveiller et de nouveau vous rappeler ce qu'il a fait et ainsi vous ressentez la blessure encore une fois. Donc, il en est ainsi chaque fois que vous avez du ressentiment, vous renouvelez la blessure.

Quand vous aurez répété cela quelques fois, la raison qui justifie votre plainte se sera incrustée dans votre subconscient comme une plaie qui ne veut pas guérir. Comment peut-elle guérir quand en la ressentant de nouveau vous la tenez à vif? Et cette plaie demeure comme une pensée maladive affectant votre tonus général de santé. C'est peut-être pourquoi l'on dit: «Ce qu'il a dit m'a rendu malade.»

Avec le temps, les effets des pensées maladives peuvent aussi s'étendre à votre corps. Il en résulte que vous pouvez développer n'importe laquelle de ces nombreuses maladies physiques que les médecins qualifient maintenant de psychosomatiques, c'est-à-dire qui originent dans l'esprit ou les sentiments. Tel est le coût élevé d'une volonté malade ou d'une pensée maladive appelée ressentiment ou blessure. Pour y remédier, il faut mettre un terme à ces schèmes de pensée.

La meilleure méthode est d'arrêter rapidement le ressentiment dès le tout début. Quand quelqu'un vous blesse, appliquez immédiatement «de l'iode» spirituelle sur la plaie mentale et émotionnelle. À la blessure, opposez la généreuse attitude de la compréhension et du pardon. Dites-vous à vous-même des paroles comme celles-ci: «Je suis sûr qu'il n'a pas voulu dire cela.» Ou: «Il n'est pas lui-même.» Ou: «Je vais passer par-dessus.» De cette façon, quelle que soit votre blessure, vous n'aurez été blessé qu'une fois. Vous éviterez d'envenimer la blessure, d'en faire une plaie vive qui deviendra par la suite chronique.

Et quand quelqu'un vous blesse, vous irrite ou vous met en colère, prier immédiatement pour l'offenseur est d'un précieux secours. Il est certain que ce n'est pas facile et en vérité cela requiert une très longue discipline, mais une telle prière retire efficacement l'aiguillon de la plaie et adoucit la blessure de votre esprit.

La mauvaise volonté porte bien son nom car elle signifie littéralement personnalité malade. Les gens sains d'esprit ont une volonté saine parce qu'ils ont appris à ne pas refaire du mal à nouveau par le ressentiment ou le souvenir.

Une fois, j'ai adressé la parole à une assemblée au terrain de baseball dans une ville de la Pennsylvanie. Des mois plus tard, on me rapporta qu'une femme avait dit avoir été guérie d'une dépression nerveuse ce soir-là à l'assemblée du parc de baseball. Je la cite à la lettre: «Au moment ou le docteur Peale mit ses mains sur sa tête et dit: "Sortez toutes pensées maladives de votre esprit", une force a envahi mon esprit. Sur-le-champ, je fus libérée de toutes mes pensées maladives.»

Cela me rappelait une image dont je me servais parfois en décrivant la main guérisseuse de Dieu étendue sur nos têtes et en expulsant les pensées négatives et démoralisantes. Il semble en effet étrange que dans un seul instant des idées accumulées pendant des années puissent être démolies et expulsées, mais les faits prouvent qu'un tel changement miraculeux s'est produit. Il se peut que l'on qualifie ces changements de miraculeux parce que nous ne comprenons pas encore les lois qui régissent de tels changements mentaux ou corporels.

Puisque c'est Dieu qui a créé l'esprit, Il est certainement capable de corriger une situation mentale par un acte subit, si tel est son bon plaisir. Le fait qu'un tel phénomène ne se produise pas souvent de cette soudaine façon ne signifie pas du tout qu'il ne peut pas se produire. Dans ce cas comme dans d'autres pour lesquels je possède une certitude absolue, une puissance spirituelle accrue a changé instantanément des schèmes de pensée entretenus depuis longtemps et elle a créé des conditions de bien-être.

D'ordinaire, le processus qui consiste à modifier un schème de pensée pour obtenir une meilleure santé est beaucoup moins rapide, mais au plan des résultats, il n'est pas moins dramatique que celui vécu par cette femme lors de ma conférence au terrain de baseball. Dans la plupart des cas de modification de la pensée, il y a un assez bon nombre de hauts et de bas ou alternent des progrès encourageants ou des rétrogressions qui rebutent; mais si on maintient le désir et l'effort, on peut prévoir une amélioration continue: la pensée maladive évolue vers une pensée saine. De fait, le changement dans le comportement peut être très remarquable comme dans le cas de cet homme rencontré lors d'un dîner.

J'assistais à ce dîner avec douze hommes membres d'un comité. L'un d'eux était certainement un des meilleurs raconteurs jamais vus. Il faisait se tordre de rire les onze autres. C'était une personnalité joviale à l'esprit pétillant. J'ai sorti de mon répertoire cinq de mes supposées meilleures histoires qui remportèrent un succès passable mais rien en comparaison de ces profonds éclats de rire que ses farces déclenchaient. En étudiant ce remarquable raconteur, je constatai qu'il s'impliquait à fond dans chacune de ses histoires. Il y avait une de ces histoires que j'avais moi-même racontée durant des années et que je n'aurais pas pensé raconter parce que je la jugeais trop vieille et défraîchie; eh bien, lui, remportait un succès fou avec elle. C'est grâce à sa manière de la raconter, de la faire sienne qu'il en faisait un succès.

Alors que j'étais fasciné en écoutant cette attachante personne, je remarquai un pasteur à l'extrémité de la table qui me souriait et hochait la tête comme pour dire: «Quel homme!» Et puis après, le ministre me demanda: «Eh bien, que pensez-vous de notre jovial ami?»

Vous auriez dû le voir autrefois

«Oui, tout un homme, répondis-je. Un homme très remarquable. Il est pétillant de vie au plus profond de lui-même.»

«Certainement, dit-il, c'est un des meilleurs de notre collection.»

«Que voulez-vous dire par là?» demandai-je. Le pasteur poursuivit son explication: «Vous auriez dû voir cet homme, il y a quelques années. Jamais le moindre sourire. Il portait le poids du monde sur ses épaules. Il faisait figure d'enterrement comme personne d'autre et les gens détestaient vraiment le voir s'approcher et commencer à déverser sa bile.

«Il avait aussi toute une fortune. De fait, il avait mis sur pied une grosse entreprise qui embauchait plusieurs centaines de gens. Il fut toujours un excellent homme d'affaires. Mais son travail ne l'épanouissait pas parce qu'il devenait un vieil homme irascible, désagréable, irritable, bien avant son temps si l'on peut supposer qu'il y ait un temps pour cela.»

Je ne pouvais pas imaginer que l'homme qui venait justement d'être l'animateur de cette soirée avait bien pu être l'individu négatif, malheureux décrit par le pasteur.

«Il avait aussi commencé à se sentir malade, ce qui n'était pas surprenant, vu toutes ses attitudes maladives, continua le pasteur. Il ressentit d'abord des douleurs à l'estomac, aux bras et de temps à autre se sentait essoufflé. Le médecin l'avertit de ralentir, que sa tension artérielle n'était pas tout à fait normale. Il développa alors une psychologie maladive et se mit à fréquenter les bureaux de médecin. Il devint bientôt tout courbaturé. Les symptômes ordinaires des maladies psychosomatiques apparurent.»

Riant sous cape, le pasteur continua son intéressant récit. «Un médecin l'envoya vers un spécialiste à Chicago et là, il en eut pour son argent. Celui-ci l'examina, lui fit passer tous les examens possibles et lui dit alors: "Vos souffrances ne sont pas réelles mais fausses et ne proviennent pas d'un coeur défectueux mais d'un cerveau en mauvais ordre. En d'autres termes, il n'y a pas grand-chose dans votre état physique qu'on pourrait qualifier de mauvais, mais il vous faudrait seulement opérer des corrections dans vos pensées. D'une certaine manière votre vie a été comme sous l'effet d'une drogue et vous auriez dû en faire un meilleur usage."

«"Eh bien, comment faites-vous cela?" demanda notre ami.

«Le docteur le regarda attentivement durant une longue minute et dit: "Il vaudrait mieux retourner à la maison, aller à l'église et je vous le dis, être honnête avec le Seigneur!" Oui monsieur, voilà exactement ce qu'il a dit. Puis il ajouta: "Voilà mon ordonnance; c'est mille cinq cents dollars, s'il vous plaît."

«"Mille cinq cents dollars! Pourquoi?" lança-t-il.

«"Pour savoir quoi vous dire, répondit tranquillement le médecin. Vous exigez le plein prix pour vos services, n'est-ce pas?"

«Eh bien, cet homme revint immédiatement à la maison pour me voir, poursuivit le pasteur. Et il était vraiment en furie; il traitait ce spécialiste de bandit et autres mots semblables. Il me dit qu'il irait chercher ses mille cinq cents dollars en le tuant. Et que diable ce docteur voulait-il en l'envoyant voir un pasteur pour se convertir? Évidemment, je lui ai expliqué les effets puissants d'une pensée mauvaise sur le corps humain et je lui donnai quelques traitements d'ordre spirituel et des conseils, du genre de ceux que vous avez décrits dans vos livres. Il s'agissait d'un très long processus, mais il continua de venir et suivit les directives. Vous voyez, il avait payé très cher pour obtenir ce conseil et ce qui le motiva le plus d'abord, ce fut d'en avoir pour son argent. Mais il cessa bientôt de détester le spécialiste qu'il croyait maintenant être un grand homme. Le docteur l'avait jaugé à sa juste mesure: il savait qu'en lui demandant des honoraires élevés, il croirait à l'importance de son conseil et le prendrait en considération.

Mais du moins, il avait trouvé Dieu et Dieu l'avait trouvé et vous voyez ce qu'il est actuellement.»

Donc c'est un fait que vous pouvez vous sentir en santé en confiant la guérison de votre pensée au Seigneur. Un médecin de Vienne appelle ce procédé «logo-thérapie», ce qui signifie guérison par Dieu; il dit que plusieurs personnes sont malades simplement parce qu'elles ont perdu le sens de la vie.

On peut constamment voir dans les expériences des gens l'importance de guérir son esprit et ses comportements. Amos Parrish, expert renommé en marchandisage, était à bord d'une voiture taxi à New York quand, par hasard, le chauffeur mentionna mon livre: *The Power of Positive Thinking.*

«Comment avez-vous connu ce livre?» demanda Parrish.

«Je sais qu'il m'a sauvé la vie», dit le chauffeur.

«Comment cela, sauver votre vie?»

«Parce qu'il a sauvé la santé mentale de ma femme et certainement la mienne, parce que sans elle, il en aurait été fini de moi. Ma femme n'avait plus sa lucidité normale et le psychiatre de Bellevue me disait qu'il ne pouvait plus rien faire pour elle. Cependant, on me recommanda de lui procurer *The Power of Positive Thinking.*

«J'allai donc chez Macy cet après-midi-là et me procurai le volume. Je lui en ai lu une partie et, à la fin, elle a semblé parvenir à comprendre. Alors, je lui en ai lu davantage et quelques semaines plus tard, elle pouvait en lire un peu par elle-même. Il y a trois ans de cela. Elle a maintenant lu et relu ce livre vingt ou trente fois. Elle en sait des extraits par coeur.

«Eh bien, elle a compris la majeure partie des idées qu'il contenait et cela a sauvé son esprit. En conséquence, cela a sauvé ma vie et la sienne aussi, je crois.»

M. Parrish dit: «J'ai dit au chauffeur que j'irais vous voir. Les larmes aux yeux, le chauffeur dit: "Oh, comme c'est merveilleux. Dites-lui que nous lui sommes tellement reconnaissants de sauver nos vies, dites-le-lui, n'est-ce-pas."»

Le rôle de la pensée positive dans la guérison

Évidemment, bien que j'apprécie la grande estime du chauffeur à mon égard, ce n'est pas moi qui ai sauvé la vie de sa femme. Je n'ai jamais sauvé la vie de qui que ce soit. Cependant, je me réjouis humblement d'avoir servi d'instrument pour aider cette femme. Ce pouvoir de guérison de Dieu l'a atteinte d'une manière si efficace que c'est la preuve que le spirituel peut transformer le mental et affecter de façon vitale l'état physique. Il y a une espèce de pensée qui lorsqu'elle pénètre et s'installe dans la conscience devient la force mentale et spirituelle la plus puissante qui agisse en ce monde. Dieu n'est pas seulement notre Créateur mais aussi bien notre recréateur. Il vous a créé roi de la création. Quand vous avez fait un mauvais usage de ses biens, de votre être en particulier ou des biens que la vie a mis entre vos mains, quand vous leur avez donné une mauvaise orientation, l'important c'est qu'Il peut encore vous changer totalement.

Il faut un désir réel, une foi réelle, il faut de tout son coeur et de tout son esprit tendre vers ce pouvoir guérisseur. Cette inclination bien précise de la personne vers la source du pouvoir, cette rupture voulue de l'égoïsme qui a retraité au-delà de ses frontières, établit le contact vital, source jaillissante de force et de santé nouvelle.

On peut trouver clairement défini ce procédé dans la Bible: «*Prêtez l'oreille et venez vers moi, écoutez et vous vivrez.*» (Isaïe 55; 3) C'est-à-dire, laissez tout votre être se plier aux voies du Seigneur. Tournez-vous, tournez-vous réellement vers Lui. Un autre exemple est celui où Jésus a guéri l'homme à la main desséchée. Quelle description pittoresque d'une personne privée de sa force et de sa vitalité: «une main desséchée», la main étant le symbole de force. Jésus lui dit: «*Étends ta main. L'autre le fit, et sa main fut remise en état.*» (Luc 6; 10) Voilà le secret: étendez votre main, c'est-à-dire essayez de l'atteindre. Essayez réellement d'atteindre Dieu de toutes vos forces. Et même si votre être pouvait être desséché, il sera restauré et vous aurez un nouvel élan pour vivre.

Cette technique établie par Isaïe est aussi pleine de sens: «Prêtez l'oreille, écoutez et vous vivrez.» Cette double formule oriente votre personne fermement vers Dieu, car elle veut dire écouter sa Parole en profondeur; ne pas la laisser rebondir superficiellement sur notre oreille. Elle requiert une concentration si intense que le pouvoir de recréer de Dieu pourra pénétrer l'oreille externe, c'est-à-dire l'attention superficielle, jusqu'au plus profond de la conscience. Alors vous serez capable de capter ce flot immense de santé et d'énergie qui jaillit en abondance de Dieu vers les gens vraiment engagés. Pour obtenir ce résultat, cela requiert une inclination bien définie de tout votre être. On peut difficilement concevoir comme nécessaire une dépendance aux narcotiques quand ce pouvoir guérisseur et ce procédé de renouvellement sont à l'oeuvre en vous.

J'ai rencontré dernièrement un homme qui avait pratiqué la méthode «de prêtez l'oreille et venez voir», pendant de nombreuses années avec de bons résultats. Ceci se passait en Irlande du Nord, pays enchanteur où le brouillard, l'embrun et le soleil alternent pour créer des champs et des vallées d'un vert tendre. Sa charmante côte romantique est bordée non pas de falaises rugueuses, mais de petits rochers. Les noms de villes sont tellement musicaux. Et dans tout cela, ce qu'il y a de plus charmant, ce sont les gens et l'un deux est Charlie White.

Les médecins de Charlie White

Ce qui m'impressionna d'une façon particulière, ce fut la vitalité et l'enthousiasme de ce vendeur renommé de porcelaine anglaise. De prime abord, j'ai pris Charlie White pour un homme beaucoup plus jeune qu'il ne l'est vraiment. Quand j'appris son âge exact, quatre-vingt-un ans, je fus vraiment étonné et je lui dis: «Charlie, vous n'avez pas quatre-vingt-un ans! Je ne peux le croire.»

«Et puis après, dit-il en riant, je ne me sens pas vieux, je me sens jeune.»

«Vous semblez certainement l'être. Quel est votre secret? Faites-m'en part.»

«C'est tout simple, je n'entretiens pas de vieilles pensées, voilà tout.»

À bien y penser, voilà une très juste observation. Mais ma curiosité n'était pas satisfaite.

«Vous devez avoir un excellent médecin pour conserver un homme en aussi bonne condition physique», lui fis-je remarquer.

«Je n'ai pas de médecin... du genre dont vous parlez», répondit-il. Mais en réalité j'ai trois médecins et ils m'empêchent de vieillir ou d'être malade en gardant ma pensée en santé. Vous voulez les connaître? Ce sont les docteurs Diète, Repos et Gai.»

Eh bien, ces trois médecins sont en vérité très bons. Chacun peut tirer profit de leurs ordonnances. Ils sont aussi dans leur manière de traiter d'un précieux secours aux docteurs en médecine.

Mais essayons d'approfondir tout ce traité de la guérison divine. Un de mes bons amis dut faire face à une maladie cancéreuse. J'observais avec admiration et respect son comportement et sa grandeur d'âme face à son problème, comportement qui, en outre, s'avéra efficace. Je suis sûr que raconter l'expérience de mon ami et décrire sa méthode d'envisager son problème vont vous aider comme cela m'a aidé.

Il y a certainement plus d'un an que cet homme me donnait des nouvelles de sa maladie et des pronostics décourageants des médecins. C'est avec une forte maîtrise de lui-même qu'il connut ce jugement, discipline que seul un homme entraîné spirituellement peut faire valoir à l'heure de la crise. «Je suis conscient, disait-il, de la nouvelle difficulté à laquelle je dois faire face et je suis aussi conscient plus que jamais de la présence de Dieu. C'est comme si j'étais toujours à l'orée de cette conscience et je commence vraiment à sentir sa présence.»

Immédiatement, il fit part de tout son problème à sa femme. Ils furent d'accord tous les deux sur la ligne de conduite à suivre.

Attaque positive de la maladie

Puis il se mit au travail de façon active et systématique en vue de trouver une formule constructive à son problème. Il ne s'est pas réfugié dans la dépression, il ne s'est pas apitoyé sur son sort. Il est certain qu'il ne lâcha pas et qu'il n'accepta pas misérablement ce développement comme final. Il établit une contre-attaque solide et bien planifiée contre la maladie, employant en plus d'une supervision médicale excellente, les principes spirituels puissants dans lesquels il avait acquis une longue expérience pratique.

Premièrement, il recruta une équipe de gens qu'il savait capables de garder le secret, une équipe spirituelle qui travaillerait avec lui et sur laquelle il pourrait compter pour l'aider par sa prière, son amour, sa confiance et ses conseils. Cette équipe était composée d'un petit groupe d'amis depuis longtemps ses intimes, des gens à la foi indentique. Une des premières décisions prises par l'équipe fut d'épargner à la famille la connaissance de sa condition jusqu'à ce que l'issue de la bataille fût connue.

Deuxièmement, il décida de mettre en relief l'aspect créateur de sa maladie, d'en faire une démonstration spirituelle de la grâce de Dieu et de la puissance de cette grâce dans un cas difficile donné. On retrouve cette pensée dans un message qu'il envoya après que la méthode de guérison eût enregistré un progrès considérable. «Une chose vraiment merveilleuse a commencé de m'arriver; plus merveilleuse même que la désintégration et la destruction des cellules malignes pour lesquelles je m'étais tourmenté. Je dis bien «je m'étais» parce que je ne le suis plus aujourd'hui. L'aube de ce sens accru de la conscience relayait au second plan les cellules malignes. La puissance de Dieu s'en occuperait et en disposerait à son gré pour compléter le procédé. Dans l'intervalle, je commençais à ressentir une paix et une assurance que je n'avais jamais connues auparavant.» L'effet de cette démonstration humaine sur nous tous «de l'extérieur» fut incommensurable pour notre croissance spirituelle et notre propre «prise de conscience.»

Troisièmement, il prit le commandement spirituel des cellules malignes. Il leur ordonna de se désintégrer afin de permettre à l'organe malade de reprendre sa forme normale et sa souplesse. Ce procédé inhabituel est basé sur la théorie que l'esprit contrôle la matière, même à l'intérieur du corps; si donc vous avez un ferme contrôle de votre esprit et si vous comprenez le fonctionnement de votre corps, vous pouvez contrôler leurs conditions dans les limites de leur fonctionnement. «Je commandai donc aux tissus par l'intermédiaire de mon système nerveux relié à mon cerveau de se soumettre au pouvoir de Dieu répandu en moi et à travers tout mon être.»

On retrouve dans Luc 9; 1 les fondements pour ordonner d'autorité aux cellules malignes de se désintégrer et permettre à l'organe malade de se normaliser quand Jésus donne à ses disciples «*puissance et pouvoir sur tous les démons et sur les maladies pour les guérir*». On considère certainement le cancer comme un «démon». Et ne pouvons-nous pas croire qu'un disciple qui est revêtu du pouvoir de contrôler les démons dans certaines sphères de la vie a aussi reçu le pouvoir sur tout ce qui est diaboliquement à l'oeuvre en lui! On ne commence pas encore à réaliser l'immense pouvoir conféré par le Christ à celui qui croit vraiment et qui s'en est totalement remis à Jésus. Qu'un disciple en ce jour d'aujourd'hui puisse se servir de l'autorité que le Christ a conférée aux siens lors de l'époque biblique semble en parfaite harmonie avec les lois et la volonté de Dieu. Le Maître n'a établi aucune limite dans le temps à cette autorité et on ne sait pas non plus qu'Il leur ait retiré ce pouvoir. En conséquence, cette attribution de pouvoir tient toujours au XXᵉ siècle.

Notre ami fit bien remarquer qu'il priait au nom du Christ et dans son esprit. Toujours d'une honnêteté scrupuleuse, il s'est longuement posé la question à savoir s'il ne bâtissait pas des hypothèses qu'il n'avait pas le droit d'ériger; n'allait-il pas trop loin avec sa foi et en pratique ne donnait-il pas au Seigneur des conseils sur les décisions à prendre? Il avait cependant l'impression d'avoir atteint le point sensible de la réconciliation entre deux idées, celles de la mise en pratique de l'autorité spirituelle qui lui avait été conférée et celle de la soumission à la volonté de Dieu. Il m'a assuré qu'il acceptait sa volonté et qu'il priait même comme le Maître priait en disant: «Que ta volonté soit faite et non la mienne.»

Quatrièmement, il vida son coeur et son esprit de toute attitude insalubre, de toutes pensées mauvaises, de toute action erronée qui pourraient perturber l'harmonie ou une véritable amitié avec les hommes de Dieu.

Cinquièmement, il se soumettait au meilleur diagnostic médical possible et au traitement qui s'ensuivait.

Sixièmement, il avait confiance au traitement constant du plus grand des médecins, celui qui a pignon sur rue dans le Nouveau Testament, et il s'y soumettait fidèlement. Il appliquait méticuleusement cette thérapie, se basant sur la foi éclairée par une lecture dévote de la Parole de Dieu.

Évidemment avec sa permission, j'ai fait ici une description plutôt détaillée de cet homme aux prises avec son problème; nous croyons lui et moi que cela pourra être utile aux autres dans des circonstances analogues.

C'est triste à dire, mais nos connaissances des lois de Dieu relatives à la guérison, à leur application dans la maladie sont loin d'être à la hauteur. L'expérience que nous avons rapportée est celle d'un seul homme et ne tient pas compte d'autres gens également spirituels qui n'ont pas été guéris, mais elle retrace les étapes qui ont conduit à un résultat positif dans un cas. Ainsi, il suggère des procédés qui peuvent s'avérer valables pour l'expérience des autres. Cette expérience peut être considérée comme une démonstration de laboratoire spirituel et pourrait ajouter à notre lente connaissance des usages de la foi pour guérir les maladies graves.

En tant que membre actif de «l'équipe spirituelle» de mon ami, j'ai suivi de près le cours de ses approches avec la maladie et je fus émerveillé non seulement de l'approche scientifico-spirituelle de son problème, mais peut-être même plus du contrôle surprenant de son cerveau et de son âme dont il a fait preuve. Cette victoire complète qu'il a remportée sur la peur et la dépression qui se rattachent à ces cas fut une de celles que je n'avais jamais vues.

La valeur de l'approche de mon ami semble confirmée par la remarque que fit le médecin après l'avoir examiné: «Je suis très content pour vous. Quelqu'un a dû prier pour vous.» Et celle d'un autre médecin: «Je me demande si le diagnostic était faux, car je n'y découvre rien.» Ajoutons la déclaration significative du patient: «Ce qu'il y a de meilleur dans toute cette expérience, c'est notre relation plus intime avec le Seigneur.»

Donc, dans toutes les crises de la vie, il y a toujours une réponse qui satisfait. Et on trouvera cette réponse dans l'application des procédés spirituels décrits pour nous guider et nous aider.

Comment se maintenir en santé et plein de vie

1. Les remèdes sont sans aucun doute importants mais n'allez pas conclure qu'une pilule qui se dissout dans votre estomac est plus puissante qu'une pensée de guérison qui se dissout dans votre cerveau.

2. La paix de Dieu profondément enracinée dans votre esprit peut souvent avoir un effet de tranquillisant et de remède sur les nerfs et la tension. La paix de Dieu a en elle-même des propriétés curatives.
3. Entraînez-vous à vivre en esprit avec le Christ. Chaque jour, remplissez à satiété votre conscience de ses maximes. Répétez ses paroles, confiez-les à votre mémoire. Pensez à Lui comme à un compagnon réel et constant.
4. Laissez croître en vous cette certitude dans la foi que Jésus-Christ est ici présent aujourd'hui aussi réellement qu'aux temps bibliques.
5. Rappelez-vous que la guérison de la peur de la maladie et de la mort est même plus importante que le rétablissement de la santé physique, que le contrôle d'une telle peur est vital pour la guérison du corps.
6. Cultivez le pouvoir de la volonté, cette force créatrice la plus importante que le Dieu créateur a déposée en vous. Ne laissez pas votre volonté manquer de fermeté, mais renforcez-la par l'usage et l'exercice.
7. Rappelez-vous que vous serez malade ou en santé selon les pensées habituelles que vous entretenez. Ne drainez pas dans votre corps les maladives pensées de votre esprit.
8. Parvenez aux bienfaits de la santé que Dieu vous offre, atteignez-les vraiment.
9. Mettez l'accent sur les merveilles d'un Dieu qui n'a pas de limites à l'intérieur de votre propre vie.
10. Ne laissez jamais des attitudes maladives empoisonner votre pensée ni ne permettez à une volonté malveillante de vous rendre malade. Rappelez-vous qu'une volonté malveillante est une volonté malade. Évitez de blesser votre esprit par cette douloureuse répétition de blessures appelée ressentiment.

Résolvez vos problèmes l'espoir au coeur et rendez-les créateurs

Ce matin-là de mars, un blizzard s'abattit sur Saint-Louis. L'hiver qu'on disait mourant se déchaîna à l'aube du printemps avec sa violence des plus beaux jours pour y laisser des accumulations de plus 30 centimètres de neige et faire chuter le thermomètre.

J'avais eu l'intention de m'envoler pour Kansas City et Wichita, mais tous les avions étaient cloués au sol; je me rendis donc à Union Station pour y prendre le train. La voiture taxi dérapait sur la glace des rues et l'épaisse couche de neige qui s'accumulait sur le pare-brise obstruait la vision du chauffeur. «Temps de chien», grommela-t-il.

À la gare, le porteur de mes bagages reprit en écho: «Oui, un vrai temps de chien.» Le vent s'engouffrait sous les remises de la gare et laissait percevoir comme la plainte d'un être perdu. Les quais étaient recouverts d'une glace traîtresse. Le vent soufflait des toits environnants d'immenses tourbillons de neige qui fouettaient nos figures et s'engouffraient dans nos encolures. Les gens avançaient péniblement, l'air morose et confiaient à leur voisin que c'était un temps de chien. Concensus unanime, c'était un temps de chien.

Comme j'allais monter à bord du train, j'entendis mon nom et vis un homme s'approcher. Il me faisait signe d'attendre.

C'était un type costaud, sans paletot ni chapeau. Son gilet tout grand déboutonné laissait entrevoir un physique respectable. Le froid avait rougi sa figure et ses cheveux clairsemés étaient ébouriffés par la brise hivernale. Un large sourire rayonnait sur sa figure lorsqu'il fit entendre cette voix de stentor, entraînée sans doute à appeler les porcs dans les prairies: «Allô, docteur, que pensez-vous de cela? N'est-ce pas un merveilleux temps de chien?»

M'appliquant une de ces taloches dans le dos il se dirigea vers la voiture voisine, laissant dans son sillage les premiers sourires que j'avais vus ce jour-là. De mon siège, je me surpris à répéter cette phrase bizarre: «Un merveilleux temps de chien.» Je me rendis compte que l'homme qui l'avait prononcée possédait quelque chose, une de ces qualités d'optimisme. Il respirait la vitalité, la vie, l'optimisme et certainement une attitude positive. Je décidai de voir ce qui le faisait agir ainsi et je me mis à sa recherche. Je le trouvai en train de régaler plusieurs personnes avec ses anecdotes qui les faisaient toutes rire. Cet homme à lui seul recréait un climat de joie pour chacun.

Finalement, je réussis à le détacher de son auditoire et nous avons commencé à parler, ce qui incidemment ne fut pas difficile. Il aimait parler et moi-même je ne donne pas ma place. «Dites-moi, dis-je, cette phrase, un merveilleux temps de chien, où diable l'avez-vous pêchée?»

«Où pensez-vous? répondit-il rapidement. Vous devriez le savoir, elle me vient de Dieu.»

«Continuez, lui dis-je avec empressement. Comment, pourquoi, quand et où?»

«Je revendique l'honneur d'avoir été le pire penseur négatif sur ce versant des Rocheuses. J'étais le pessimiste par excellence. Je pouvais dire dans les moindres détails ce qui n'allait pas dans le pays, dans le monde et dans chacun de ses habitants. J'étais cousu de problèmes. Ils m'ont fait la vie dure. J'étais franchement malheureux.»

«Alors, que s'est-il passé?» demandai-je. Je vis que j'avais en face de moi un homme intelligent, à l'esprit vif, qui n'était dupe de personne. Il possédait cette chose qu'on appelle une personnalité forte.

«C'est très simple, il n'y a pas de mystère là-dedans. Je me suis converti. Ma vie a été transformée. Vous voyez, mon fils qui m'aimait malgré que je fusse un vieux pisse-vinaigre, avait commencé à me parler du nouveau prédicateur à l'église. Aucun prédicateur n'avait réussi à m'impressionner depuis mon enfance. Je ne fréquentais pas l'église depuis longtemps. Cela me laissait froid. C'était peut-être de ma faute. J'étais peut-être irrécupérable. Je ne sais pas.

«Mais je pouvais me rendre compte que mon fils, Fred, était gagné à ce jeune prédicateur. On aurait dit que quelque chose lui était arrivé: il était plus heureux, plus embarqué que jamais; je l'accompagnai donc à l'église un dimanche. Il avait raison: ce prédicateur avait quelque chose de spécial. Il se tenait debout et parlait sans l'apparat du prédicateur. Il parlait l'anglais ordinaire des États-Unis. Je comprenais aussi ce dont il parlait. Mais au-delà de tout cela, l'homme respirait le bonheur et la paix de l'esprit.

«C'était un vrai vendeur lui aussi, car il vint me rendre visite le lendemain à mon bureau. Tout simplement, il mit ses pieds sur le bureau et parla. Et je l'aimai. En fait, je l'ai invité à venir manger avec moi quelques jours plus tard. Il ne parlait jamais de religion ou autre chose semblable. Je comprends maintenant qu'il ne faisait qu'exposer de façon toute simple sa marchandise spirituelle. Il savait comment faire une vente à un client expérimenté. Eh bien, pour en finir en peu de mots, il m'a conduit au Christ et avant de le savoir j'étais déjà en plein dans le Royaume.»

Il s'arrêta de parler, me regarda et son regard m'arracha presque les larmes des yeux. C'est un fait qu'il était dans le Royaume. Et moi-même, au contact de cet homme, je m'y sentais tout simplement plus près.

Maintenant, il aime les problèmes

«Eh bien, dit-il en continuant, tout ce pessimisme d'antan est vraiment chose du passé, un peu comme la neige qui disparaît sous les doux rayons du soleil printanier. Avant tous ces événements, les problèmes me rongeaient. Mais maintenant, je les aime; je les aime vraiment, croyez-le ou non. Oh! n'allez pas croire qu'il n'y ait plus de durs moments, mais d'une façon ou d'une autre nous les surmontons beaucoup mieux qu'auparavant.»

Renversé dans mon fauteuil, je contemplais à l'extérieur un panorama d'une blancheur absolue. Le soleil s'efforçait de se frayer un chemin à travers les nuages sur le point de se disperser. Les congères recouvraient presque les clôtures et chaque poteau était coiffé d'un blanc bonnet de neige. Un soleil étincelant y faisait miroiter des myriades de diamants. Même le train se déplaçait plus lentement qu'à l'accoutumée à travers les prairies enneigées d'une épaisse couche de blancheur. De fait, c'était «un merveilleux temps de chien».

Dans les jours suivants, j'ai approfondi de plus en plus l'effet puissant de l'optimisme sur les êtres humains. De fait, j'ai mené une étude poussée du sujet pour déterminer son apport et connaître les méthodes de le cultiver. De plus, je l'ai moi-même mis en pratique de plein gré et je découvris de nouveau qu'un usage régulier et systématique de l'optimisme est important pour l'ancrer fermement dans la conscience. Mon ami dans le train puisait son optimisme face aux problèmes dans le changement radical de sa manière de penser mais encore dans cette pratique quotidienne qui avait contribué à en faire un expert dans cette manière de penser et d'agir revitalisante.

L'optimisme est une pensée positive qui éclaire. Quelques objecteurs invétérés à tout ce qui sent l'espérance ont décrié la pensée positive comme un rêve en couleurs, comme une espèce d'indifférence désinvolte de la douleur et des soucis de ce monde. Il y a des gens qui plus d'une fois ont délibérément défiguré l'accent que je mettais sur le sujet. Je l'ai senti. D'autres ont simplement mal compris.

Le penseur positif est un type au caractère bien trempé, à l'esprit déterminé, qui colle à la réalité. Il voit tous les problèmes, je dis bien tous les problèmes et bien plus, il les voit nettement... ce qui est plus qu'on puisse dire du penseur négatif moyen. Invariablement, ce dernier voit toute chose sous un angle décoloré par les ombres. Mais le penseur positif contrairement au penseur négatif ne se laisse pas déprimer par les problèmes et les difficultés, encore moins ne se laisse-t-il pas abattre. Il recherche avec espoir au-delà de toutes difficultés connues les solutions créatrices. En d'autres termes, il voit au-delà des difficultés et essaie d'en découvrir les solutions.

Le penseur positif a une vue intérieure des choses, plus pénétrante, plus intuitive. Il est tout à fait objectif. Ses idéaux sont définis. Il ne considère jamais un «non» comme réponse. En résumé, il est indomptable et ne se laisse pas abattre. Il continue simplement de se battre, de penser, de prier, de travailler, de croire; vous seriez surpris du nombre de fois que le penseur positif se tire avec succès des situations les plus difficiles, les plus désespérées. Et même s'il ne réussit pas, il a la satisfaction de savoir qu'il a fait un essai loyal, ce qui est déjà quelque chose, quelque chose de hautement satisfaisant. Et peut-être, je dis bien peut-être, que le penseur positif qui n'a pas atteint son but y gagne même quelque chose, quelque chose de plus précieux, son humanité, son âme.

L'ordonnance du médecin

J'ai donc décidé d'écrire ce chapitre sur l'espérance. Ce chapitre, c'est vraiment l'ordonnance du médecin. Un médecin sérieux m'a dit un jour: «Si vous désirez contribuer à la santé publique, je vous conseille de parler et d'écrire souvent sur la nécessité de l'espérance, de l'optimisme et de l'espoir. Mettez quelque chose de réellement joyeux dans l'esprit des gens.» Il expliquait la grande importance de la joie et de l'optimisme pour la guérison et il allait même jusqu'à dire que le pessimisme chez un patient réduit de dix pour cent le processus naturel de guérison. Je lui ai demandé comment il pouvait établir un pourcentage précis mais il demeura vague sur le sujet. Mais l'important est que lorsque votre esprit est rempli d'optimisme, vos forces naturelles de restauration sont stimulées.

Un autre médecin, passant en revue sa pratique de quelque quarante ans, affirmait que plusieurs de ses patients n'auraient pas été malades et obligés de le consulter s'ils avaient simplement pratiqué l'optimisme, la foi et la joie. Il disait: «Mise à part la médication, si je peux les amener à se prendre en charge mentalement dix minutes par jour dans une atmosphère de véritable joie, c'est-à-dire dans un optimisme à cent pour cent, je peux les remettre en santé et les garder en santé.» Il semble donc que médicalement parlant aussi, l'optimisme est important.

Dans la Bible, les références à la joie, la foi, l'optimisme sont sans nombre. Jésus disait: «*Je vous dis cela pour que ma joie soit en vous et que votre joie soit complète.*» (Jean 15; 11) Considérez donc l'optimisme comme un remède pour le corps, l'esprit et l'âme. L'optimisme a pour base la foi, l'espérance et l'attente; il y a une valeur thérapeutique dans le moindre acte d'espérance. La Bible le reconnaît aussi dans un passage émouvant: «*Qu'as-tu mon âme à défaillir et à gémir sur moi? Espère en Dieu: à nouveau, je lui rendrai grâces, le salut de ma face et mon Dieu.*» (Psaume 42; 12) En d'autres termes, si vous avez de l'espoir en Dieu, si vous êtes dans son attente, cela se traduira sur votre figure par un air de santé et de vitalité.

Ainsi donc, le penseur positif à l'heure d'aujourd'hui peut voir des possibilités en toutes choses, même les plus noires. Le fait est que la plupart d'entre nous ne recherchent pas les possibilités. À cause d'un de ces caprices malheureux de la nature humaine, nous avons tendance à rechercher les difficultés plutôt que les possibilités. Et voilà peut-être justement pourquoi les difficultés prennent le pas sur les possibilités dans nos vies.

J'ai connu autrefois un homme qui s'appelait lui-même «possibilitarien», signifiant quelqu'un qui voit les possibilités plutôt que les impossibilités. «Bien... bien... voyons d'abord ce qui est possible dans ce cas», avait-il l'habitude de dire d'une voix traînante pendant que les autres assis autour de lui envisageaient les choses tristement. C'était aussi étonnant de voir le nombre de fois qu'il découvrait des possibilités, alors que les artistes du pessimisme se demandaient pourquoi ils ne les avaient pas découvertes. La réponse est simple: ce «possibilitarien» était toujours à la recherche de possibilités, les autres, jamais. D'ordinaire vous ne trouvez que ce que vous cherchez réellement.

Ce «possibilitarien» était un homme intrépide, vigoureux, sage et courtois. Vous ne pouviez tout simplement pas l'acculer au mur avec des problèmes quelle qu'en fût l'accumulation. Vous aviez l'impression qu'il aimait plutôt les problèmes de toutes sortes, que sans eux la vie aurait été triste. Il ne semblait jamais avoir autant de plaisir que lorsqu'il s'attaquait à un problème de taille. Il l'aimait réellement. Le moins qu'on puisse dire, c'est que c'était un homme. Le connaître fut l'une des plus grandes expériences de ma vie.

Il était sage aussi et je savais où il puisait sa sagesse. Elle sortait en ligne droite de la Bible. Il connaissait la Bible de la première à la dernière page. Il vivait en compagnie de ses personnages. En vérité, ils étaient comme des gens qui vivaient avec lui. Il écrivait en bordure de toutes les pages de sa Bible les commentaires les plus inusités et les plus remarquables. En marge de l'histoire d'un homme qui avait beaucoup péché et qui avait dû subir un rude châtiment en retour, il écrivait: «Ha! Ha! Il a certainement eu ce qui l'attendait.» Cependant, il n'exista jamais homme plus doux et plus secourable.

J'avais un problème

Je me souviens avoir eu une fois un problème qui m'avait réellement arrêté. Je ne pouvais entrevoir la moindre lumière qui m'éclairât; croyez-moi, j'étais découragé. J'allai donc en parler avec cet homme positif.

Il m'a dit: «Très bien, mon vieux, pose ton problème ici sur la table. Examinons-le sous tous ses angles, prions et voyons ce qu'on peut faire.» Puis il se promena autour de la table, pointant son doigt comme pour tâter le problème sous tous ses aspects. Il souffrait d'arthrite aux doigts et la jointure de son index droit était notablement déformée. Le doigt était recourbé, mais avec cet index crochu il pouvait pointer plus directement que n'importe qui avec un doigt normal. «Je n'ai jamais rencontré de problème qui n'eût pas son point faible quelque part, pourvu que l'on ne cesse de le retourner sous toutes ses faces», murmura-t-il.

Il découvrit bientôt ce point faible et il se mit à le secouer comme le chien son os. Finalement, il commença à rire dans sa barbe: «Voilà, mon vieux, je crois que nous avons trouvé le point faible de ton problème. Forçons-en l'ouverture et voyons ce qu'on peut en faire.» Et il fit beaucoup.

Même pour lui, les réponses ne venaient pas facilement, mais l'important c'est qu'elles venaient. Croyez-moi, le possibilitarien, mon vieil ami, m'a appris un tas de choses et la principale qu'il m'a enseignée, c'est qu'il y a toujours des possibilités là où il semble n'y en avoir aucune. Voilà ce que c'est que d'être un optimiste à toute épreuve. Ne cessez pas de retourner le problème.

Parfois j'ai de la peine pour les jeunes de ce monde terne. J'ai grandi à l'époque où il était de tradition pour les Américains de croire au progrès sans limite. L'espérance était une force en ce temps-là. On croyait avoir tout l'avenir devant soi. Aujourd'hui les jeunes semblent avoir été éduqués dans cette mentalité que le monde est dans un état de très grand marasme et heureux sommes-nous si seulement nous pouvons y survivre tout à fait. Voilà l'attitude morne et sophistiquée d'une prétendue science. Du moins, je tiens cette notion de quelques tristes intellectuels. Pour être savant, l'essentiel est d'avoir une face de carême et un esprit lourd de tristesse.

Il est vrai que la vie est remplie de troubles, de problèmes, mais remarquez bien ceci: elle est aussi remplie de victoires sur les troubles et de solutions aux problèmes. Si nous ne surmontons pas les troubles, si nous n'apportons pas de solutions aux problèmes, où cela nous mène-t-il?

Il n'y a rien de plus épanouissant dans la vie, même d'aussi passionnant que de surmonter les troubles, il n'y a rien de plus excitant que de décomposer un problème très difficile et de le remettre en place correctement. Et on peut même faire cela avec plaisir quand au fond de son esprit il y a un climat d'optimisme, de foi et aussi d'attente.

S'établir dans l'harmonie

Vous pouvez développer dans votre esprit cette qualité qui existe chez un esprit déterminé en employant les techniques spirituelles scientifiques et créatrices dont on parle dans ce livre.

Pour rendre l'optimisme effectif, il est important de réaliser un état d'harmonie. Votre degré d'harmonie avec vous-même et avec les autres conditionne votre degré d'efficacité. Si vous n'avez pas un tel degré d'harmonie, vous êtes inefficace dans la même mesure. Avec la réduction graduelle des stress et leur élimination accrue on verra apparaître le début d'une efficacité harmonieuse dans votre manière de penser et d'agir.

Un jour que j'adressais la parole à un congrès de manufacturiers en machinerie, l'un d'eux me dit que l'un des facteurs fondamentaux pour assurer le rendement d'une machine est d'enlever le degré de résistance et ainsi permettre à ses éléments constituants de travailler ensemble dans l'harmonie. «Quand toutes les parties de la machine travaillent dans l'harmonie, dit-il, on dirait entendre un chant de joie. Alors son quotient d'efficacité est élevé.»

Si cela est vrai d'une machine, c'est sûrement aussi vrai chez un être humain. Quand vous êtes en proie aux conflits, aux stress, à la confusion, votre personnalité qui a été conçue comme une unité de travail dans votre corps, dans votre esprit et dans votre âme, ne peut pas fonctionner avec efficacité. Il faut apporter le correctif de l'harmonie.

Un instructeur de tennis me disait qu'il mettait toujours l'accent sur l'importance de la joie et de l'harmonie dans les compétitions sportives. Il avait une élève qui du point de vue technique était une des meilleures qu'il eût jamais entraînée. Mais le jeu de cette fille ne présentait pas un flot harmonieux et malgré sa perfection technique, son travail n'arrivait pas à produire sa pleine mesure. Un jour, près du filet, il lui demanda à brûle-pourpoint: «Connaissez-vous la valse du *Danube Bleu*? Suffisamment pour pouvoir fredonner avec moi?» Étonnée, elle dit qu'elle pensait pouvoir le faire. «Très bien, dit-il, tout en jouant, je vous demande de balancer vos coups au rythme de la valse du *Danube Bleu.*»

Elle crut qu'il s'agissait d'un procédé plutôt étrange mais acquiesça; comme elle se laissait bercer par la musique, elle fut étonnée de voir que ses mouvements se déployaient avec plus de grâce, de symétrie et d'harmonie. Après la leçon, rayonnante de joie, elle vint vers lui: «Jamais auparavant je n'ai ressenti la joie et le plaisir de ce jeu. C'était la première fois de ma vie que j'étais réellement dans l'ambiance.» Par la suite, elle devint une grande vedette; l'harmonie s'est réellement développée chez elle.

L'enjeu de la vie est vraiment quelque peu différent. Quand une lutte est en jeu, quand un emploi est en jeu, quand la vie est en jeu, vous êtes sous l'effet d'un stress et alors vous opposez de la résistance simplement parce que l'harmonie ne règne plus chez vous. C'est donc tout naturel que l'optimisme décline. Mais quand votre coeur déborde de joie, quand vous aimez tout ce que vous faites, que ce soit vendre des produits d'alimentation, écrire des livres, élever des enfants, pratiquer le droit, la médecine ou fréquenter l'école, quand vous aimez chacune de ces choses et qu'elles vous rendent parfaitement heureux, vous rétablissez alors l'harmonie chez vous et cela devient comme une source de joie qui inonde alors votre manière de penser, de vivre, de travailler. Résultat? Vous devenez beaucoup plus efficace. Commencez donc par développer une harmonie tant intérieure qu'extérieure, car si vous n'êtes pas en relation d'amitié avec vous ou avec les autres, alors comme on dit, vous n'êtes vraiment pas dans le coup.

Sans doute, parmi les gens normaux et ordinaires, parmi les savants, ils sont plutôt nombreux ceux dont le travail quotidien, manuel ou intellectuel, est ardu et qui s'intéressent sérieusement aux résultats; pour eux, l'espérance semble irréelle voire superficielle. Le penseur positif, lui, a une très saine attitude: il voit tous les défauts et les voit carrément, mais il croit toujours en de meilleurs résultats que ceux qui semblent vraisemblables au moment même. Il espère même en des heures comme celles que nous vivons car il sait qu'il y a toujours des réponses valables.

Tout dernièrement, à bord d'un avion, j'ai rencontré un homme qui exprimait une opinion qui pourrait être interprétée comme une vue diminuée de la vie. De fait, comme il me régalait de ses idées, je me suis rappelé cette phrase de Schopenhauer: «L'optimisme fait triste figure dans ce monde de péché, de souffrance et de mort.»

L'approche de cette personne, me diriez-vous, manquait quelque peu de ce qu'on est convenu d'appeler l'élégance. D'une agressivité horripilante envers le monde entier, agressivité qui frisait l'hostilité, le verbe rempli d'expressions théologiques utilisées dans un sens non théologique, il voulait savoir où diable je m'étais procuré cette doctrine positive. Ne savais-je pas que le monde était un effroyable chaos? Que voulais-je donc dire par pensée positive et autres semblables?

Quand, finalement, il eut fini de critiquer, ayant épuisé son vocabulaire - son passage facile au triste quotidien indiquait une pauvreté de vocabulaire descriptif - je lui déclarai que ma philosophie ne venait pas de chez le diable comme il le croyait et que je pourrais être à la hauteur contre ses arguments de pessimiste, n'importe quand, n'importe où.

Ainsi, nous sommes restés sur nos positions sans engagement de part et d'autre, et nous avons échangé des sourires amicaux. Je lui ai dit qu'en tant que penseur positif, je croyais avoir nettement plus d'audace que lui en tant que penseur négatif; en effet, les penseurs positifs envisagent les mauvais côtés des choses, mais ils ne se laissent pas abattre. Il ne se lamentent pas ni ne lâchent, mais avec l'aide de Dieu, ils continuent sans cesse de se préoccuper des problèmes du monde.

Regard sur des problèmes ardus

Je proposai que nous jetions un regard sur ces problèmes ardus et je lui remis un éditorial que j'avais lu. À mon avis, cet article était un exposé vraiment chrétien qui envisageait les réalités et ne se laissait pas effrayer ni abattre par elles. Le véritable esprit chrétien est certainement l'esprit le plus intrépide au monde. Il voit les choses telles qu'elles sont, mais ne s'arrête pas là. Par la grâce de Dieu et son intelligence, il les voit telles qu'elles peuvent devenir.

Voici l'article que j'ai donné à lire à mon compagnon de voyage enlisé dans ses problèmes:

> La philosophie qui prédomine dans les sphères supérieures de l'éducation, c'est un naturalisme aussi athée

que le communisme athée. On a expulsé la Bible des écoles publiques. Notre niveau de criminalité est le plus élevé de tous les temps. Tous les kiosques à journaux font étalage de morales à peine sous-chrétiennes. La plupart des best-sellers, livres ou magazines, ne sont pas chrétiens, quand ils ne sont pas anti-chrétiens dans leur morale et leur message. Si vous regardez les émissions de télévision et le genre de vie qu'elles décrivent, vous ne pourriez pas imaginer que plus de cinquante pour cent des gens aux États-Unis sont membres de l'une ou l'autre des églises chrétiennes. Le matérialisme, c'est-à-dire le culte des choses matérielles, semble croître partout, même si nous professons des lèvres croire en Dieu. En morale, les standards glissent à un niveau inférieur à ceux qui existaient avant la venue de Jésus-Christ. La plus grande partie de notre vie se déroule comme s'Il n'était jamais mort, comme s'Il n'était jamais ressuscité.

Nous, citoyens des États-Unis, dépensons plus d'argent pour l'alcool que pour l'éducation. Un nombre considérable de gens n'assistent que rarement, sinon jamais, aux services religieux et en pratique vivent sans Dieu. Bon nombre d'entre eux semblent plus intéressés par le sexe que par la sainteté. La fornication a pour nom plaisir et on appelle la luxure, amour. Il n'est pas surprenant que nous ayons des foyers brisés et de la délinquance juvénile. Pour employer les mots de Jérémie: «*Nous avons commis deux fautes: ils m'ont abandonné, moi, la source d'eau vive, pour se creuser des citernes, citernes lézardées qui ne tiennent pas l'eau.*» (Jérémie 2; 13) Ce sont ces temps que Jésus a prédits quand il a dit: «*À cause de l'iniquité d'un grand nombre, la charité va se refroidir sur la terre.*»

Nous confessons que Jésus-Christ est Seigneur, mais sa volonté ne règne pas dans ce monde en guerre contre

Dieu. Son évangile, diffamée et combattue depuis le début, fait face probablement à une variété plus grande que jamais auparavant d'opposition subtile, terrée et démoniaque. La plus sinistre, la plus diabolique de toutes est le communisme athée avec sa mainmise tyrannique sur un tiers de la population du globe.

Le tableau peut sembler noir à souhait, mais on ne peut mettre en doute les faits. Nous aurions mieux fait de voir les choses telles qu'elles sont, dans leur vraie perspective, car il n'y a rien de plus dangereux que l'illusion. Même s'il n'y en a que trois cents parmi nous de mis de côté, il vaudrait mieux que nous le sachions. Le fait de le savoir peut nous aider à abandonner notre confiance en d'ingénieux stratagèmes et la placer en Dieu seul, à ne pas compter sur les hommes et leurs méthodes mais sur le Seigneur et son évangile. Le Seigneur pourrait aussi dire en parlant de notre situation: «Ce qui est impossible aux hommes est possible à Dieu.»

Si le moment que nous vivons est, en un certain sens, un jour de décadence et de défaite, néanmoins, il est aussi en même temps le jour de notre chance. Dieu est encore plus fort que Satan. Nous ne verrons peut-être pas la victoire aujourd'hui, mais il est en notre pouvoir de travailler, de lutter, de prier, d'espérer parce que nous avons foi en Jésus-Christ.

Ainsi se terminait cet éditorial qui a certainement été écrit pour que l'on comprenne.

Alors que nous filions dans le ciel à quelque 850 kilomètres à l'heure en réfléchissant à ce que nous venions de lire, mon voisin fit ce commentaire: «Bien, si l'Église possède quelques hommes à la foi vigoureuse comme ceux que cet éditorial vient de décrire, il se pourrait que je sois dans l'erreur. O.K... Je vais essayer de me faire à l'idée qu'il existe une réponse au chaos dans lequel nous vivons.» (Il ne s'était pas tout à fait défait de son image.) «Essayons de faire sortir quelque chose de bon de ce monde ignoble.» Il parlait maintenant avec optimisme. Si vraiment il travaille avec ces schèmes de pensée, il trouvera qu'une foi optimiste en Dieu, une foi qui ne se laisse pas vaincre, produit absolument des résultats valables, peu importe la dureté des temps que nous traversons.

Le fait indiscutable que la vie soit pénible et remplie de problèmes n'enlève rien à la valeur d'un regard d'espoir ni d'une approche créatrice. Si tout était clair et fortuit, la joie âpre de l'amélioration serait moindre car alors tout serait évidemment banal. On trouve les satisfactions les plus profondes de la vie dans le violent contraste qui existe entre la peine et la joie. Alors en nous hâtant de développer l'attitude que nous pouvons être à la hauteur des problèmes, nous ne fermons pas les yeux sur les peines, les troubles, mais au contraire nous préconisons la recherche de la créativité dans un contexte de difficultés. En vérité, toute autre démarche serait à peine possible, puisque c'est là qu'il faut la trouver.

Il semble y avoir une étrange notion en cours à savoir que l'espérance ne va pas de pair avec les problèmes durs, pénibles, qu'une attitude pessimiste fait nécessairement suite aux problèmes, que les problèmes appellent une attitude pessimiste. De fait, on retrouve cette notion exprimée dans des centaines et des centaines de lettres qui me parviennent de mes lecteurs. Maintenant, je réalise sans doute très bien que les problèmes peuvent être et souvent sont déplaisants et exécrables à l'extrême. Et ils ajoutent à la dureté de la vie. Il n'y a aucun doute à ce sujet. Mais il ne s'ensuit tout simplement pas que leur existence et leur présence exigeante doivent faire disparaître l'optimisme. En vérité, leur absence indiquerait qu'on a atteint le point culminant du pessimisme, car l'absence de problèmes signifierait littéralement absence de vie. Et la vie seule peut rendre possibles des réalisations créatrices.

Soyez heureux d'avoir des problèmes. Ils sont un signe de vie

Les problèmes sont évidemment un indice de participation, elle-même indice de vitalité et d'existence. De fait, il s'ensuit qu'une personne qui a dix problèmes est deux fois plus vivante qu'un individu qui n'en a que cinq. Et si par un heureux hasard vous n'aviez pas de problèmes du tout, vous feriez mieux de vous agenouiller tout de suite et de faire au Seigneur la prière suivante: «Seigneur, qu'est-ce qui se passe? N'as-tu plus confiance en moi? Je t'en prie, envoie-moi des problèmes.»

Donc, soyez heureux, soyez vraiment heureux d'avoir des problèmes. Soyez reconnaissant d'en avoir car c'est la preuve que Dieu a confiance en vos talents pour résoudre ces problèmes qu'Il vous a confiés. Adoptez cette attitude face aux problèmes et elle vous aidera à faire disparaître la dépression que vous avez peut-être développée grâce à une réaction négative à leur endroit. Et au fur et à mesure que vous développerez l'habitude de penser à vos problèmes en termes d'espoir, vous vous apercevrez que vous en tirez un meilleur parti.

Cela ajoutera aussi à votre joie de vivre, car une des plus grandes satisfactions de la vie, c'est de résoudre les problèmes adéquatement et avec efficacité. Bien plus, l'heureuse solution des problèmes vous aidera à croire qu'avec l'aide de Dieu et sous sa gouverne, vous avez ce qu'il faut pour faire face à tout ce qui peut survenir.

Quelle triste et étrange notion que ce concept qui s'est beaucoup propagé ces dernières années à savoir que le progrès de l'humanité est en voie de réalisation quand on libère les gens de leurs problèmes plutôt que lorsqu'on les rend capables de trouver eux-mêmes les solutions. Une telle tendresse du coeur sonne bien quand on la proclame du haut de la chaire avec un tremolo dans la voix ou quand un candidat l'exploite en politique électorale, mais la dure réalité demeure quand on n'aide pas vraiment les gens, qu'on ne les aime pas d'un amour sincère, à moins qu'on leur apprenne à trouver la force et les moyens de résoudre les problèmes par eux-mêmes. Quand cela s'est avéré impossible et seulement dans ce cas, alors naturellement les autres doivent en prendre soin.

Mais l'idée persiste toujours chez les ultra-sensibles que les problèmes sont tout simplement des choses terribles et que le monde devrait s'en débarrasser.

Les hommes forts, les créateurs, les réalisateurs ne détestent pas les problèmes du tout, de fait, ils les aiment. Ils savent que les problèmes sont à l'esprit ce que l'exercice est aux muscles, elle les rend plus résistants, plus forts. Les problèmes rendent l'homme davantage capable de faire face à la vie.

Les difficultés vaincues rendent les gens forts

Un des hommes que j'ai admirés le plus fut le défunt Charles F. «Boss» Kettering, un talent scientifique renommé chez General Motors. Il inventa le démarreur automatique, le procédé de peinture Duco pour les automobiles et beaucoup d'autres gadgets modernes. Il fut l'un des penseurs les plus productifs que j'aie jamais connus.

À Cleveland, lors d'un dîner à l'occasion de la célébration du 150e anniversaire de l'admission de l'Ohio comme État au sein de l'Union, un nombre de natifs de l'Ohio avaient été invités à prendre la parole. Au programme figuraient Branch

Rickey, le docteur Milliken, Bob Hope, moi-même et quelques autres.

Le préposé aux toasts dérogea à son programme et demanda «Boss» Kettering qui était assis dans l'auditoire. Il s'avança et prononça un discours de deux phrases qui restera toujours gravé dans ma mémoire comme un chef-d'oeuvre. Faisant allusion à l'accent que l'on mettait sur le côté historique de ce dîner, Kettering dit: «Le passé ne m'intéresse pas. Je ne suis intéressé qu'à l'avenir, car c'est là que je m'attends à passer le reste de ma vie.» Sur ce, il reprit son siège au milieu d'un tonnerre d'applaudissements.

Kettering répétait souvent à ses assistants chez General Motors: «Les problèmes sont le prix du progrès. Ne m'apportez que des tracas. Les bonnes nouvelles m'affaiblissent.» Quelle philosophie! Apportez-moi des problèmes, ils me renforcissent. Les problèmes considérés comme des chances rendent les hommes forts.

La véritable question n'est pas d'avoir des problèmes, d'en avoir de très difficiles, d'en avoir qui compliquent davantage la vie, ce qu'il y a d'important, c'est l'attitude qu'on a vis-à-vis ces problèmes. Votre manière d'envisager les problèmes est plus importante que le problème lui-même. Menninger dit: «Les attitudes ont plus d'importance que les faits.» Il est vrai qu'un fait est un fait. Il y a des gens qui disent cela comme si c'était la fin; c'est une réalité très dure. Qu'est-ce qu'on peut donc y faire? On lâche donc tout.

Mais l'optimiste à toute épreuve prend une attitude positive vis-à-vis le fait. Il le voit dans sa réalité, tel qu'il est, mais il voit plus loin. Il y voit un défi à son intelligence, à son ingéniosité, à sa foi. Il prie et demande des lumières intérieures, de l'aide pour traiter avec les dures réalités. Il continue de penser, de prier et de croire. Il sait qu'il y a une réponse et que finalement il la trouvera aussi. Il altère peut-être la réalité ou peut-être la contourne, ou peut-être apprend-il à vivre avec elle. Mais dans tous les cas, son attitude vis-à-vis la réalité s'est avérée plus importante que la réalité elle-même.

Pratiquez la vertu d'espérance jusqu'à ce que vous en deveniez maître. Puis continuez à la mettre en pratique de sorte qu'elle soit toujours agissante en vous. Vous n'avez jamais besoin en aucun temps de subir la défaite finale, jamais. Avec l'aide de Dieu, vous pouvez traiter aussi facilement un problème à l'heure d'aujourd'hui qu'on l'a fait dans le passé.

Comment résoudre ses problèmes dans l'espérance et les rendre créateurs

1. Rappelez-vous toujours que les problèmes contiennent des valeurs qui ont un potentiel d'amélioration.
2. Recherchez toujours des solutions créatrices. D'ordinaire elles font partie du problème.
3. Que votre analyse soit toujours objective, mais n'oubliez pas de la faire dans une perspective d'espérance, d'optimisme et d'attente.
4. Recherchez toujours les possibilités inhérentes à la plupart des problèmes.
5. Examinez toujours tous les aspects d'un problème, recherchant son point faible car ils en ont presque tous un. Puis attaquez-vous au problème et trouvez-en la solution.
6. Conservez toujours l'espérance, spécialement quand la vie est dure.
7. Pensez aux problèmes comme un signe de vie. Il se pourrait que plus vous ayez de problèmes, plus il y ait de vie en vous.

8. Les problèmes sont à l'esprit ce que l'exercice est aux muscles. Ils vous rendent forts.
9. Votre manière d'envisager un problème est plus importante que le problème lui-même; pensez donc toujours de façon positive.
10. Avec l'aide de Dieu, vous pouvez traiter n'importe quel problème. Implorez donc le Seigneur pour cette aide. Il vous l'accordera.

8

Sortez-vous de vos difficultés en priant

Oui, elle était enragée! Une vraie tornade verbale de violence émotionnelle à son point culminant, quelque chose que je n'avais jamais vu. Elle était venue pour me parler, plus précisément pour jeter des pierres dans mon jardin. J'avais à peine pu placer un mot.

Elle venait de découvrir que son mari avait eu une aventure amoureuse avec une autre femme. Elle et son mari, ne cessait-elle de répéter, étaient mariés depuis vingt ans. Il ne pouvait tout simplement pas lui faire cela. Elle avait eu confiance en lui; évidemment, elle pensait que tout était correct entre eux; et maintenant, cette aventure! Elle ne pouvait pas trouver de mots assez forts pour exprimer ce qu'elle pensait de lui. Il était, semblait-il, un visage à deux faces, un hypocrite, une canaille de traître de la pire espèce.

Naturellement, je ne pouvais pas trouver d'excuses à la conduite du mari si elle était conforme à cette description, mais l'attitude de cette femme était si vindicative et si pharisaïque qu'elle éclairait vraiment beaucoup de choses et que je ne pouvais m'empêcher d'éprouver une certaine sympathie pour cet homme.

J'ai cru qu'elle allait se calmer bientôt et je l'écoutai donc avec sympathie et calmement, mais quand elle entreprit pour une deuxième fois la même tirade, je lui ordonnai de s'arrêter. Dans mes séances de counselling, j'avais remarqué chez les gens en colère cette tendance à se répéter sans fin. Cela suffit de raconter l'histoire une fois. Les vitupérations torrentielles de cette femme semblaient sans limites.

L'interrompant, je lui dis: «Écoutez, ce discours ne nous mène absolument à rien. Je propose donc de mettre complètement de côté tout le problème pour quelques instants. Déposez-le dans mes mains.» Je me levai, plaçai mes mains en forme de coupe et je les lui tendis. Et faisant comme si je prenais son problème dans mes mains, je dis: «J'ai votre problème maintenant.» Je me dirigeai vers la porte et, l'ouvrant, je fis le geste de jeter quelque chose dans la pièce voisine et je refermai la porte: «Maintenant, votre problème est dehors. Laissons-le là et commençons à penser au Seigneur au lieu de penser au problème.» Elle tenta de dire quelque chose: «Je vous en prie, vous avez eu votre tour de parler. Gardez un silence absolu et je ferai de même. Assoyez-vous seulement et pensez à Dieu, je le ferai moi aussi.»

Elle fut tellement surprise de cette manière inattendue d'agir qu'elle demeura absolument tranquille. J'étais loin de m'attendre à cette éventualité mais je devais me rendre compte par la suite que cette femme était beaucoup plus maîtresse d'elle-même qu'elle le laissait voir. Après trois minutes de silence, je pris une Bible et lus quelques passages choisis qui mettaient l'accent sur la présence du Seigneur. J'en choisis d'autres pour leur pouvoir de tranquilliser les esprits et permettre une activité mentale rationnelle.

Puis, je demandai: «Quelles pensées avez-vous eues durant cette période de calme?»

Elle hésita, et quand elle commença à parler, elle était calme et maîtresse d'elle-même. Elle n'était définitivement plus sous l'emprise de la passion. Elle parlait lentement et de façon intelligente. Elle n'était plus cette victime totale de l'émotion; maintenant, elle réfléchissait avant de parler. C'était une espèce de soliloque auquel j'avais l'honneur de prêter l'oreille. Je dis bien l'honneur, car c'était une véritable personne qui parlait. «Bien, malgré tout, Harry est un homme gentil. Il faut que je pense à sa grande bonté et à sa patience. Ce n'est vraiment pas Harry qui a été mêlé à toute cette affaire.» Elle s'arrêta un instant et finalement termina en disant: «Cette aventure est peut-être plus de ma faute que de la sienne. J'ai dû le laisser choir. Je n'y pensais pas.» Comme elle avait raison! Beaucoup de femmes se seraient épargnées ce genre de désagréments si seulement elles avaient pensé non pas à elles-mêmes mais à leur mari.

Mais autant je respecte la puissance à la prière inspiratrice de la pensée, autant j'étais difficilement préparé à sa prochaine déclaration. Qu'elle fût dure à faire, c'était évident, mais qu'elle fût exprimée entièrement montre une importante attache à la vie.

«Quelle pauvre femme! Voyez la tristesse et la peine dont elle se couvre elle et sa famille. J'espère pouvoir prier pour qu'elle se ressaisisse.» Elle n'était pas folle, c'est certain, car elle se leva soudainement et dit: «Ça va, maintenant. Je sais ce que j'ai à faire avec moi-même et je suis certaine de pouvoir maîtriser la situation.» Comme je la regardais s'en aller, je sus moi aussi qu'elle le pouvait, car après avoir vécu une des plus subtiles des ruses humaines elle savait comment prier pour solutionner son problème. Il lui fallait résoudre son problème elle-même avec l'aide de Dieu. Et c'est ce qu'elle fit.

Technique pour résoudre les problèmes

Depuis, je me suis servi de cette technique pour d'autres problèmes et dans la plupart des cas elle s'est avérée efficace.

Cette méthode particulière comprend plusieurs facteurs: le premier consiste à opérer un vide complet du contenu émotionnel. Cette femme l'a réellement fait. Heureusement, je fus capable d'interrompre son débordement émotionnel juste au bon moment et l'empêcher de recommencer. Voilà la raison pour laquelle on échoue dans plusieurs cas semblables: on se vide de son émotion, mais on en refait le plein immédiatement. Ainsi se crée un cercle vicieux qui n'aboutit à aucun résultat constructif.

Un second facteur, c'est quand elle tenta de transmettre son émotion à une tierce personne. Je fus capable de l'aider en l'écoutant respectueusement, considérant qu'à ce moment sa personnalité était gravement blessée et rebutée.

Un troisième facteur, très important celui-là, c'est le temps de repos pendant lequel nous avons brisé la tension, interrompant ce qui, autrement, serait devenu un cercle sans fin et introduisant une nouvelle possibilité, celle d'une aide venant de l'extérieur d'elle-même. Quand elle vint à mon bureau, elle n'était pas en état de penser. Mais on créa un nouveau climat qui a permis non seulement de reprendre le processus de la pensée, mais de le reprendre à un niveau supérieur d'intériorité. En mettant temporairement son problème de côté, de fait en le contournant et le dirigeant vers une piste de pensée spirituelle, son cerveau fut libéré et ainsi elle put se détendre. Alors, elle fut capable sur-le-champ de produire des idées constructives. De cette façon, elle se ressaisit et retrouva sa capacité d'aborder son problème. Elle apprit qu'une pensée positive est efficace en tout temps de crise.

Voici un autre individu qui exploite un assez gros commerce et qui a trouvé cette méthode efficace. Il m'a raconté qu'un jour il eut à faire face à un problème si ennuyeux que, jour et nuit, il faisait des efforts pour le solutionner. Il pesait lourd sur son esprit. Il ne pouvait pas dormir. Il devint de plus en plus tendu, irritable, nerveux. Plus il faisait d'efforts, plus le problème lui semblait compliqué et sans espoir. Au moment où il se concentrait mentalement, la réponse et la solution s'évanouissaient.

Faisant les cent pas dans son bureau, il s'arrêta par hasard en face du portrait de sa mère. Elle avait été une simple femme de campagne qu'il avait non seulement aimée et vénérée, mais pour qui il avait eu aussi une grande admiration à cause de son sens aigu du pratique. Comme il regardait fixement la figure de sa mère, il se souvint qu'il l'avait maintes et maintes fois entendu dire dans des situations familiales difficiles: «Laissons reposer le problème quelques instants et pensons au Seigneur.»

Cette pensée lui apparut comme un message direct qui lui était adressé dans la situation présente. Il enleva donc tous les papiers de dessus son bureau, les fourra dans un tiroir qu'il referma ensuite. Il se dit à lui-même: «Maintenant, les jeux sont faits. Je vais laisser de côté ce problème quelques instants.» Il tira une Bible d'un autre tiroir, s'installa dans sa chaise et commença à lire le livre des psaumes. Il demeura là assis près de trente minutes à lire la Bible. Il se concentra sur quelques passages qu'il connaissait mieux et lut à haute voix les paroles d'importance. Finalement, il referma la Bible et s'assit tout à fait immobile en pensant au Seigneur. Il pensait à la bonté de Dieu, à sa providence, à l'immensité de son être, à la grandeur de son amour. Puis, en silence, il fit une prière de reconnaissance.

Une impression de calme parcourut ses pensées. Son esprit s'apaisait peu à peu; son corps ressentait le repos. Il était détendu comme cette bande de caoutchouc qui revient à son état naturel après avoir été étiré.

Il reçoit un important conseil

Il retourna à son travail grandement rafraîchi et stimulé. Soudain, lui vint la pensée d'aller de l'autre côté de la rue rencontrer un certain homme. Il n'y avait pas de lien, en autant qu'il pouvait voir, entre son problème et l'homme dont il s'était soudainement souvenu du nom. Mais il se dit que puisque cette pensée lui était venue juste après avoir prié, peut-être qu'il ferait mieux de voir cet homme.

Il partit donc et au cours de la conversation, cet autre homme fit une remarque apparemment impertinente qui, en retour, déclencha une pensée qui jaillit dans le cerveau de notre ami avec la force d'une inspiration soudaine. Il y vit clairement indiqué le premier pas vers la solution de son problème. Les événements subséquents ont apporté la preuve qu'il avait reçu la vraie réponse.

Faisant suite à cette expérience, il suit maintenant le même procédé avec tout problème qui pose une difficulté d'importance. Il soustrait son attention au problème suffisamment longtemps pour concentrer ses facultés sur le Seigneur. Puis il retourne au problème, l'esprit reposé, détendu et y travaille avec une efficacité maximale. Résultat: l'esprit émet des jugements sûrs. Il trouve que cette méthode est valable pour toutes sortes de problèmes. Il dit qu'elle fonctionne régulièrement.

La technique qui consiste à retrouver son calme et à se retirer mentalement en présence de Dieu est donc tellement importante qu'il est contraire au bon sens de ne pas l'utiliser pour résoudre les problèmes. Quelques gens intelligents, d'autre part, pensent à un Dieu flou, à un Être religieux, lointain, uniquement relié à des églises. Ce n'est pas le grand Dieu que nous connaissons. Quelques églises ont tellement élevé de barrières autour de Dieu avec toutes sortes de pompes et de cérémonies qu'Il devient vraiment terne et irréel. Évidemment, Dieu est tellement plus grand, plus fascinant que l'enfermer ainsi et le réduire est un genre de blasphème sous des apparences pieuses.

On a tenu comme établi que seuls les pasteurs et peut-être quelques pieux laïcs recommandent aux gens de trouver leurs réponses en Dieu, mais aujourd'hui, il semble que quelques médecins le font aussi. Par exemple, un homme m'a raconté qu'il avait senti pendant quelques jours un déclin de ses forces. Il décida qu'il travaillait assez fort pour aller prendre deux semaines de vacances en Floride. Mais quand il revint au rythme effréné du quotidien, il se sentit aussi fatigué qu'auparavant. «Tout l'argent et tout le temps dépensés en Floride avait été jetés à l'eau.» Il était ce genre d'homme qui retardait toujours d'aller voir le médecin et quand il le faisait, c'était en dernier ressort. Mais finalement, il alla consulter un médecin qui lui fit subir un examen complet accompagné de toute la gamme des tests. Le médecin lui dit qu'il souffrait de deux choses dont l'une était l'hypoglycémie.

«Qu'est-ce qu'on fait dans ce cas?» demanda le patient qui caressait le secret espoir de se voir prescrire plus de friandises par le médecin. Comme il avait toujours eu un goût prononcé pour le sucre, la pensée lui plut. Mais au contraire et à sa grande surprise, l'ordonnance consistait à manger tous les jours à l'heure du lunch un hamburger et cela jusqu'à ce qu'il retrouve son énergie.

«Quelle est l'autre chose dont je souffre, docteur?» demanda-t-il. Le médecin, un vieux praticien perspicace, regarda très longtemps ce leader très à la page dans le monde des affaires urbaines. Se parlant plutôt à lui-même qu'à son patient, il dit d'un ton songeur: «Je me demande... je me demande justement s'il a ce qu'il faut.»

«Que voulez-vous dire? Si j'ai ce qu'il faut?» s'exclama l'homme un peu exaspéré.

«Bien, dit le docteur, votre niveau de sucre est bas, ainsi que votre inspiration spirituelle, deux choses importantes. Donc à l'ordonnance du hamburger, ajoutez, si vous le voulez bien, plus de Dieu. Du divin et du hamburger, dit-il en riant, l'un pour augmenter votre avoir spirituel, l'autre pour relever votre glycémie.»

Et voilà comment je fus mêlé à cette affaire. À la suggestion du médecin, le patient me consulta pour recevoir une injection de divin. Ordonnance plutôt bizarre, me direz-vous.

De toute façon, ce patient, «qui n'avait jamais été pratiquant», non seulement se mit à aller à l'église régulièrement, mais ce qui est plus important, commença sérieusement à introduire dans sa vie des techniques spirituelles. Il en résulta une amélioration sensible de son système nerveux et de ses forces. «Mes forces reviennent réellement, dit-il, elles originent de cette vitalité spirituelle reçue lorsque j'ai remis ma vie entre les mains du Seigneur. Quand j'eus appris à vivre avec Dieu, au lieu de tout simplement essayer de me garder moi-même en forme, j'ai commencé à vivre, à vivre réellement.» Voilà évidemment une autre manière de dire qu'il avait appris à se sortir des difficultés en priant.

Mais les forces physiques ne sont pas seules à fléchir. La vitalité créatrice et la force mentale dépérissent aussi. L'esprit, source d'idées et d'élans dynamiques, peut se changer en un puits desséché d'où ne sort rien de constructif. En de telles circonstances, la prière s'est avérée une force puissante de revitalisation qui stimule et renouvelle l'esprit.

Un homme vraiment heureux

Par exemple, cet homme que j'ai rencontré sur la rue et avec qui j'ai marché le long de quelques pâtés de maison. Je suis devenu conscient que j'étais en face d'un être profondément heureux et qui rayonnait de joie.

«Je veux vous dire, dit-il, que le programme de la pensée positive dont vous vous êtes fait le défenseur est réellement efficace. Vous n'avez pas idée de ce qu'a pu vouloir dire pour moi la prière positive! C'est passionnant, croyez-moi.»

Cet homme, semblait-il, avait dû vivre des heures pénibles. Tout avait tendance à mal marcher, spécialement dans les affaires. Il continuait d'aller de mal en pis comme il le disait. Sa situation qui s'aggravait le laissa dans un état de découragement et de frustration croissants. Ce qui l'ennuyait le plus, c'était de ne plus avoir d'idées constructives. Son esprit était «un puits sec, absolument sec».

À ce moment critique, il lui arriva de lire un de mes articles de journaux traitant des techniques spirituelles et pratiques que je décris sous le titre: «Prendre Dieu comme partenaire.» C'était une phraséologie nouvelle pour lui, mais qui voulait simplement dire mettre sa vie entre les mains de Dieu et Le laisser la conduire. J'établissais dans cet article que cette simple pratique avait réveillé une nouvelle puissance, avait stimulé la pensée et amélioré les performances chez plusieurs de ceux qui l'avaient adoptée. Mon ami a trouvé cet article intéressant et a décidé de mettre en pratique la pensée spirituelle fondamentale dont il est question. Il se disait qu'ayant essayé beaucoup d'autres choses il pouvait bien tenter sa chance.

Il s'assit donc à son bureau, fit une prière qui pouvait bien ressembler à celle-ci: «Seigneur, il me faut admettre, semble-t-il, que je ne peux pas maîtriser la situation. On dirait que je n'ai plus de bonnes idées. Je déteste l'avouer, mais je crois que je suis au bord de la faillite. Cette entreprise ne marche pas bien du tout. Je Te demande humblement d'être mon partenaire senior. Je n'ai rien à T'offrir sauf moi. Je T'en prie, change-moi et fais le ménage dans le fouillis dans lequel je suis embourbé et aussi dans ma vie qui est un gâchis. Je ne comprends réellement pas comment cela peut se faire et aussi bien Te le dire franchement, je doute des résultats car c'est du neuf pour moi. Mais je suis prêt à faire tout ce que Tu me diras et je vais faire, avec Toi comme partenaire, un essai loyal. Sinon, je suis mal fichu.»

«Avez-vous réellement dit tout cela dans votre prière?» demandai-je.

«Oui, c'est ce que j'ai dit presque mot pour mot, et je ne plaisantais pas non plus.»

«Si vous me demandez mon avis, c'est une prière très réaliste. Qu'est-il alors arrivé?»

«Bien, continua-t-il, après avoir terminé ma prière, j'allai me rasseoir dans ma chaise et rien n'est arrivé. Je ne sais pas trop ce que j'attendais, mais j'avais comme une faible impression d'avoir été laissé en panne. Puis je me dis à moi-même: eh bien, c'est tout simplement une de ces choses qui arrivent. Mais alors, je remarquai que je ressentais comme une espèce de paix et de calme. Je décidai de sortir prendre une marche. Je ne sais pas pourquoi, mais il m'a semblé que c'était la prochaine chose à faire. Je marchai près de deux kilomètres et revint, pensant qu'il vaudrait mieux que je revienne à mon bureau.

«Sur le chemin du retour, arrivé au coin de Madison Avenue et de la 48ième Rue, je m'arrêtai soudainement et demeurai debout comme un piquet sur le bord du trottoir. Une idée que je n'avais pas eue auparavant jaillit dans mon esprit, une idée qui était la solution à mon principal problème. Je ne sais pas d'où elle venait. Elle semblait arriver tout à fait à l'improviste. Mais maintenant, je sais très bien d'où elle venait.

«Je me hâtai de retourner à mon bureau et, sur-le-champ, je commençai à mettre mon idée en marche. Le succès ne tarda pas à venir et d'une réussite à l'autre, en peu de semaines, toute l'entreprise commença à s'améliorer. Je voyais clair pour la première fois et d'autres idées d'appoint surgirent. Le vieux cerveau était de nouveau en ébullition.

«Je continuai chaque jour de me remettre entièrement entre les mains de Dieu. Oh! j'ai vécu des heures pénibles, n'allez pas croire que non. Il y a encore d'énormes difficultés à surmonter... et en grand nombre même. Mais pour la première fois, je faisais des progrès jour après jour et, ce qui est peut-être plus important encore, je me sentais très différent. Savez-vous, c'est drôle, mais quand je devins différent, tout devint différent. Je crois donc que les choses vont au même rythme que l'homme. Qu'en pensez-vous?

«Je vais vous dire ce que je fais maintenant.» Il continua sans attendre de commentaire. «Chaque soir, avant de m'endormir, j'explore le Nouveau Testament et je fais une liste de tout ce que Jésus nous dit de faire. Et j'essaie réellement de les réaliser. Par exemple, j'ai décidé de cesser de haïr mon prochain. Jésus dit d'être bon avec ceux avec qui vous vous êtes querellé; j'ai fait cela. Il dit d'avoir la foi; j'ai aussi fait cela ou du moins j'ai essayé. Je peux tout simplement dire que je ne me suis jamais senti aussi bien et que la vie n'a jamais été aussi passionnante.»

Cet homme avait certainement quelque chose d'un réalisme impressionnant. Il n'y avait aucun doute à ce sujet. Il était évident qu'il était réellement vivant et possédait un esprit optimiste. Je le connaissais depuis des années et j'étais émerveillé du changement opéré en lui. Il avait découvert que la prière n'était pas un exercice de gens pieux, de mystiques, de visionnaires, de saints et d'ultra-dévots. Il a trouvé qu'elle peut être une méthode pratique pour revivifier un esprit qui a perdu son pouvoir créateur. Et même plus que cela, il a découvert qu'une telle prière est une énergie recréatrice de force.

Les techniques d'une prière efficace

Nous avons déjà conseillé dans ce chapitre différentes méthodes pour vous sortir de vos problèmes en priant. (1) Mettez délibérément le problème de côté et concentrez-vous sur le Seigneur. Telle fut la méthode employée dans le cas de la femme en colère dont le mari avait eu une aventure amoureuse et celle de l'homme d'affaires aux prises avec un problème compliqué. (2) La singulière ordonnance donnée par un médecin à l'homme d'affaires dont les forces s'épuisaient. (3) Et enfin la méthode employée par cet homme qui «avait pris Dieu comme partenaire».

Je désire maintenant vous proposer la méthode qui consiste à rédiger son problème et à le déposer dans la Bible. Ce procédé est basé sur le principe que la plupart des prières sont floues et manquent d'une expression clairement définie du problème lui-même. Pour obtenir des résultats il vous faut savoir quel est le problème et être capable de le délimiter clairement dans ses détails importants. On peut difficilement envisager une solution si on ne connaît pas réellement le problème, pas plus qu'on ne peut partir ou arriver à une destination qui n'a pas été décidée. En d'autres termes, il vous faut savoir ce dont il s'agit et où vous voulez aller.

Parfois on voit dans des bureaux d'affaires cette directive qui a l'air d'un code: *Rédigez-le* ou encore *Inscrivez-le dans un calepin*. Cette directive a pour but d'éliminer des conversations sans fin, des descriptions inadéquates, des concepts flous. Quand vous priez, le premier principe est de savoir exactement ce que vous voulez dire et précisément quel but vous poursuivez. Vous devez être capable de définir le problème clairement et en peu de mots. Si vous devez utiliser beaucoup de mots, ce simple fait prouve que vous n'êtes pas trop sûr de ce que vous avez en tête. Une personne qui a une idée nette de tout le problème et le rédige de telle sorte qu'il lui apparaisse clairement a par le fait même rendu possible la réception de ces réponses claires qui attendent dans l'esprit de Dieu. Seul un problème clair commande une réponse claire.

Rédigez donc votre prière dans le moins grand nombre de mots possible. Choisissez chacun des mots qui donnent le plus de sens possible. Réduisez votre message à la longueur d'un télégramme. Cela vous aidera à clarifier votre problème.

J'ai dessiné des cartes qu'on a placées dans les bancs de mon église. Des milliers d'entre elles ont rapporté de bons résultats. J'ai même apporté un soin particulier à la couleur de la carte parce qu'elle était susceptible d'influencer l'attitude de l'usager. Elles sont de couleur or, symbole d'espérance et d'attente, et on y lit ce qui suit:

Mon (mes) problème(s)

Pour avoir une réponse à un problème, il est bon de l'écrire. Cela le rend plus concret et vous êtes davantage capable d'y penser à fond et de l'inclure dans vos prières.

Écrivez votre problème sur cette carte. Placez-la dans votre Bible personnelle. Chaque jour, mentionnez-le dans vos prières. Soyez prêt à accepter la réponse du Seigneur.

Enfin, inscrivez le jour où vous recevrez la réponse. Puis classifiez la carte avec un mot de reconnaissance.

La raison invoquée pour placer cette carte dans votre Bible personnelle, c'est identifier votre problème avec ce livre, source de sagesse, et donc de vous encourager à explorer le secours qu'il vous offre. C'est un symbole: il signifie que vous avez vraiment placé le problème entre les mains de Dieu.

La recommandation de classifier les cartes avec les réponses reçues affirmatives ou négatives se base sur la valeur de la compilation de l'histoire de vos relations avec le Seigneur et de ses effets merveilleux dans votre vie. Une telle classification de cartes vous aidera grandement à évaluer la profondeur de votre foi, y conservant force documents sur les différentes circonstances où vous avez été aidé et avez reçu un réconfort spirituel. En conclusion, cela fera voir que la prière utilisée comme il faut n'est pas une réaction de désespoir, une réaction irréfléchie et non planifiée, mais un travail rationnel de la Loi divine dans les affaires humaines.

Ruth utilise avec succès la carte de prières

Je pourrais raconter plusieurs faits illustrant comment cette carte a eu des résultats dans la vie des gens, mais je voudrais en signaler un plus intéressant peut-être, celui qu'a vécu mon épouse Ruth. Nous avons sur notre table de chevet chacun notre propre Bible dans laquelle nous lisons tous les soirs et tous les matins. Un soir, j'ai remarqué que par hasard nos Bibles avaient été interchangées de sorte que celle de Ruth était sur ma table. Une carte de problème s'en échappa. Je me rendis compte que cette carte était personnelle, mais piqué par la curiosité, j'en lus la moitié, m'attendant à me découvrir sur la liste de ces problèmes importants.

Elle avait inscrit trois problèmes sur la carte: ils étaient exprimés clairement et succinctement. Elle y avait inscrit la date de réaction, 1er janvier 19___. Après l'inscription du problème numéro un, elle avait écrit: la réponse a été «oui» (date). Après la rédaction du second problème, elle avait inscrit l'annotation suivante: La réponse a été «non» (date). Il n'y avait rien d'indiqué après la rédaction du problème numéro trois, ce qui signifiait qu'aucune réponse n'avait été reçue à ce jour. J'ai joint mes prières aux siennes et remis la carte dans la Bible.

Plusieurs semaines, de fait plusieurs mois plus tard, elle eut sa réponse au problème numéro trois. Ce fut «oui». Elle m'a montré la carte le jour où cette joyeuse réponse affirmative lui parvint; alors à la suite du problème numéro trois, elle écrivit: «Un merveilleux oui fut la réponse, aujourd'hui le 18 décembre 19___, onze mois et dix-huit jours après l'inscription du problème sur cette carte. Merci, cher Seigneur.»

Elle remit alors la carte en filière et maintenant elle continue de s'occuper d'autres problèmes. Voilà assurément la manière d'agir: les problèmes surgissent toujours. Mais depuis, cela nous a fourni l'occasion de remporter d'autres victoires et en outre, en expérimentant la bonté de Dieu d'apprendre à être heureux et reconnaissant d'avoir des problèmes. Continuez d'inscrire vos problèmes. Au fur et à mesure que vous pensez, priez et croyez, vous trouverez les vraies réponses et de cette façon vous allez croître et la vie prendra plus de sens et vous apportera plus de satisfaction.

En priant pour vous sortir de vos difficultés, il est aussi important de réduire l'élément intérêt personnel et mettre l'accent sur les intérêts des autres qui peuvent être concernés par le problème. Je ne veux pas dire qu'il est mauvais d'avoir un intérêt personnel normal et légitime. Je dis cela parce qu'il y en a beaucoup qui, traitant de la prière, se donnent des airs de bondieuserie et nous enseignent de ne pas penser à nous du tout. C'est une bêtise parce que vous êtes impliqué à fond dans la vie et une telle dépréciation n'est pas possible et même si elle l'était, elle ne serait pas désirable. Le but de notre vie n'est pas d'en sortir mais de la vivre de façon équilibrée. Alors, il faut donc éviter de mettre trop ou trop peu l'accent sur soi si nous voulons garder un tel équilibre. Quand un équilibre adéquat existe entre l'intérêt personnel et celui des autres, alors les forces spirituelles déclenchent des résultats pratiques.

Pour illustrer ceci, voici l'expérience de H.F., populaire vedette du Sud-Ouest à la télévision. Je fus invité à son émission lors d'une discussion libre sans répétition préalable; la conversation portait sur plusieurs sujets. H.F. sait comment en arriver à un haut niveau d'intérêt et son émission est amusante et charmante. Finalement, nous avons abordé le sujet de la prière. H.F. disait: «Il se peut que je ne comprenne pas la prière comme je le devrais, car parfois elle est efficace, parfois non. Pourquoi en est-il ainsi?»

«Il y a trois réponses possibles à la prière, vous savez: oui, non, attendez.»

«Bien, répondit-il en souriant, la plupart des réponses que j'ai vécues sont de la catégorie «attendez». J'ai un problème au moment même.»

La discussion était en ondes pour le vaste auditoire invisible des téléspectateurs. Puis il enchaîna: «Là-bas, dans le Nord, j'ai une maison que je dois vendre. J'ai besoin de cet argent et je ne sais plus quoi faire. Tous les jours, je demande au Seigneur de m'aider à vendre la maison à un prix équitable. Mais rien ne se produit. Qu'est-ce qui ne va pas? Que dois-je faire?»

«Le problème dans votre prière, c'est peut-être que vous ne pensez qu'à vous-même et à la somme d'argent que vous allez réaliser, dis-je. Évidemment, pendant que le Tout-Puissant s'intéresse à vous, Il s'intéresse aussi aux autres. Pourquoi ne vous intéressez-vous pas aux autres aussi? Cela vous placera peut-être sur la même longueur d'ondes que le Seigneur.»

Il resta bouche bée. «Que voulez-vous dire?»

«Adressez au Seigneur une prière comme celle-ci: Seigneur, là-bas dans le Nord, j'ai une jolie maison qui est actuellement vacante. Vous connaissez peut-être une famille, ou peut-être un jeune couple, qui est à la recherche d'une telle maison, à qui elle plairait et qui serait heureux de l'habiter. Si ma maison est conforme à leurs besoins, je vous en prie, amenez-les. Faites que je puisse satisfaire leurs besoins à un prix raisonnable et à la portée de leurs moyens. Aidez-les et aidez-moi, chacun selon nos besoins. J'accepte votre gouverne et je vous en remercie.»

Peu après cet incident, je recevais une lettre de H.F. me disant:

Cher docteur Peale:

Je suis sûr que vous allez vous rappeler votre interview lors de votre passage à Houston. J'ai cru que vous pourriez être intéressé de savoir que cinq jours après que nous eûmes discuté prière et pensée positive au sujet de la vente de ma maison, elle était déjà vendue à une famille qui avait précisément besoin de ce genre de maison. La prière était à votre suggestion.

C'est un exemple d'un problème résolu quand un homme a commencé à penser à son prochain et à lui-même de façon bien équilibrée. Peut-être que vous, moi, peut-être que nous tous pensons trop, prions trop uniquement pour obtenir notre bien-être personnel.

Quelquefois, et c'est absolument vrai, il vous faut simplement penser à vous-même sérieusement, car vous êtes peut-être rendu à la dernière extrémité ou à un point tel que vous et ceux qui vous sont chers ont besoin d'être aidés. La seule chose à faire dans ce cas, c'est d'aborder le problème avec le Seigneur, de le remettre entre ses mains et de le laisser là avec entière confiance. Quand vous aurez reçu une réponse à votre prière, c'est avec joie que vous partagerez avec les autres afin que le flot de bienfaits continue de circuler.

Dans mon article hebdomadaire qui est publié dans environ deux cents journaux, il m'arrive d'écrire sur la puissance de la prière. Et j'invite mes lecteurs à me raconter leurs propres expériences. Comme vous pouvez le deviner, j'ai reçu des histoires fascinantes démontrant l'efficacité de la prière dans la vie courante.

Expérience fascinante de prière

L'une d'elle m'est venue de monsieur Bean Robinson d'El Paso, Texas. Ses en-têtes de lettres m'impressionnèrent: Good Horses, Good Ranches, Good Cattle, Good People. Nous les connaissions tous de Fort Worth jusqu'en Californie, de Chihuahua jusqu'au Canada.

Monsieur Robinson illustre cette vérité que Dieu vous dira quoi faire, quand le faire, que vous devez écouter et faire ce qu'Il dit. Mais lisez cette lettre car elle est intéressante.

Cher docteur Peale:

Dans l'*El Paso Times* en date du lundi 4 juillet, vous aviez un article sur la prière. Vous disiez que vous seriez heureux que vos amis vous écrivent et vous racontent leurs expériences afin que nous puissions aussi nous entraider. La prière pour moi c'est comme prendre mon appareil téléphonique et appeler le Seigneur. Si Dieu actuellement est sur le point de m'aider, il faut être capable de comprendre ce que Dieu me dit. L'important, c'est la volonté de Dieu sur moi. Je crois que la prière parfaite serait: «Seigneur, donne-moi de voir et de comprendre pour savoir ce que tu veux que je fasse, donne-moi la foi, la force et le courage de le mettre en pratique.» Maintenant je vais vous raconter une expérience personnelle et je vous demande de remarquer comment ma vie fut sauvée parce que j'ai pu comprendre ce que Dieu me disait et parce que je l'ai fait.

J'étais au Montana, exploitant un ranch d'importance. Nous avions eu notre première neige en novembre. C'était une neige légère qui s'amoncelait ici et là. Elle avait fondu, laissant quelques îlots de sol mouillé d'environ trois mètres par six qui étaient gelés. Ce matin-là, à l'aube, nous avions quitté la maison du ranch. En allant chercher mon cheval, mes pieds se sont crottés de boue. J'avais recouvert mes bottes d'une paire de couvre-chaussures. Une fois mes pieds dans les étriers, il devenait difficile de les en retirer. Nous étions en train de rassembler le troupeau dans un grand pâturage. L'air était froid et mordant, et mes couvre-chaussures gelèrent dans les étriers; on les aurait dit coulés dans du ciment et il était devenu impossible de les en dégager.

Vers onze heures du matin, ces endroits mouillés avaient dégelé un peu en surface, mais le tout, sauf le premier centimètre, était resté gelé. Ils ressemblaient exactement à une plaque de verre recouverte d'environ un centimètre de graisse. Je chevauchais un cheval dressé pour le rassemblement du bétail; il courait par petits bonds autour d'un petit groupe de taureaux pour les ramener dans le troupeau. Mon cheval s'arrêta pour tourner sur un de ces endroits mouillés et, en tournant rapidement, ses pieds glissèrent sous lui. La première chose que je sus, j'étais sous le cheval, mes pieds emprisonnés dans les étriers par la glace: je n'avais aucune chance de les en dégager et mon cheval qui s'était relevé courait et me ruait à la tête. Je ne voyais aucun moyen d'en sortir. Je levai simplement les yeux vers le Seigneur et dit: «Seigneur aide-moi.» J'ai répété ma prière. Puis je fus tout oreille. Une pensée me vint que je considérai comme la voix de Dieu qui me parlait: «Tu tiens toujours la bride dans ta main.» Je regardai et me rendis compte que c'était vrai. Puis vint une autre pensée: «Tire la tête de ton cheval vers toi et parle-lui pour le calmer.» Je l'ai fait. Le cheval s'arrêta. Voici quelle fut ma pensée suivante. Il y avait un cowboy à environ un kilomètre de moi mais il n'avait rien remarqué d'anormal. «Appelle le cowboy.» Je le fis et comme le cowboy s'approchait, je lui dis de faire attention pour ne pas effrayer mon cheval. Il descendit de cheval: je lui dis de détacher ma selle de mon cheval. Il le fit et me libéra.

Maintenant, comme vous le voyez, il y a eu plusieurs étapes dans ce sauvetage. Je n'avais pas pensé pouvoir m'en sortir. Je n'étais pas blessé du tout. Je n'avais ébauché aucun plan pour me délivrer. Dieu m'a dirigé pas à pas. En aucun temps, je n'ai eu peur. J'attendis tout simplement le Seigneur et je L'écoutai. Était-ce la vie ou la mort? De toute façon, c'était la volonté de Dieu.

Comme vous êtes prédicateur et non cowboy, vous n'êtes peut-être pas entièrement capable de comprendre ma situation, mais je sais que vous connaissez des amateurs de chevaux et si vous en discutez avec eux, je sais que vous vous rendrez compte de ma position.

Maintenant, est-il possible de toujours recevoir des directives aussi précises que les miennes? Je dirais: «Non.» Mais nous pouvons toujours parler à Dieu de nos ennuis, nous pouvons toujours Lui faire confiance et essayer de découvrir sa volonté sur nous.

C'est bien mystérieux la manière dont les choses arrivent aux gens qui ont une confiance simple, qui ont de la foi et de l'amour dans le coeur.

Lors d'une visite en Terre Sainte, il y a quelques années, j'ai rencontré S. James Mattar, un Arabe chrétien qui vivait à Jérusalem. Il fut autrefois employé de la Barclays Bank. Comme bien d'autres, monsieur Mattar perdit son emploi, sa maison et tout ce qu'il possédait lors des hostilités qui se sont déroulées dans cette région.

Avec son épouse et ses enfants, il s'enfuit en Jordanie. Ils y arrivèrent sains et saufs, mais presque sans le sou. Des jours sombres ont suivi: de fait, il y eut un moment où Mattar ne possédait exactement que deux shillings et rien ne laissait prévoir des entrées d'argent de façon quelconque pour nourrir sa famille.

Mais cet homme avait une foi aveugle en Dieu. Rassemblant sa femme et ses enfants autour de lui, humblement il implora la bénédiction du Seigneur sur chacun d'eux et pria pour être aidé. Alors qu'il priait, il eut la nette impression qu'il allait prendre des paniers vides pour aller à la place du marché, accompagné de Samuel, son fils aîné.

En s'en allant au marché, Samuel dit: «Mais, papa, nous n'avons pas d'argent, pour acheter quoi que ce soit.» Mattar lui répondit simplement: «C'est ce que le Seigneur m'a dit de faire.»

Dieu y pourvoiera

Au marché, ils s'assirent pour attendre ce qui pourrait arriver. Bientôt un homme s'approcha d'eux à travers la foule, saluant Mattar de ces paroles: «Comme je suis heureux de te voir, mon vieil ami! J'ai beaucoup pensé à toi dernièrement et j'ai essayé de te retrouver.» C'était un ancien employé de Barclays Bank et un ami d'antan.

Les deux hommes causèrent, mais Mattar ne dit rien de sa situation critique. À la fin, l'autre homme, hésitant et embarrassé, tira de sa poche une pièce de cinq livres et dit: «Serait-il téméraire de penser que peut-être tu as des problèmes financiers? Au nom de notre amitié, je te prie d'accepter cela.» Mattar fut si confus qu'il put à peine faire entendre des remerciements.

Après le départ de cet ami, véritable bienfait de Dieu, Samuel demanda: «Papa, savais-tu que cet homme allait passer par ici?»

«Non, Sammy, je ne le savais, répliqua Mattar, nous sommes entre les mains de Dieu et Il est bon. Tu viens justement de voir une preuve de sa providence.»

Les victuailles achetées avec cinq livres mirent la famille Mattar à flot en attendant d'avoir du secours des Nations unies. Plus tard, monsieur Mattar trouva le moyen de se subvenir à lui-même. Pendant un certain nombre d'années, il fut jusqu'à sa mort gardien du Tombeau du Jardin que plusieurs croient avoir été le tombeau appartenant à Joseph d'Arimathie et dans lequel fut enseveli le corps du Christ. C'était un ami vivant du spirituel. Sa vie et celle de son épouse sont consacrées à aider les autres gens au nom du Christ.

En méditant sur l'expérience de monsieur Mattar, je suis impressionné par le fait que s'il n'avait pas eu une foi suffisante pour agir selon l'inspiration reçue dans sa prière, il n'aurait pas eu le secours dont il avait un si pressant besoin. Quelques-unes des réponses les plus célèbres à la prière arrivent quand vous ne pouvez rien du tout par vous-même et que vous le réalisez avec humilité. Alors vous êtes réellement capable de vous abandonner avec confiance à l'aide de Dieu. «*Dans l'angoisse, tu m'as mis au large.*» (Psaumes 4;1) Cet état d'angoisse semble refléter la situation dans laquelle la providence de Dieu se fait souvent sentir de façon remarquable.

Je suis évidemment conscient que bon nombre ne partagent pas ma foi dans la prière au niveau décrit dans ce chapitre. La réponse pourrait très bien être que de telles personnes qui doutent ne prient vraiment pas. Une chose est certaine, vous n'obtiendrez jamais des résultats de la prière si vous ne priez jamais. Comment en serait-il autrement? S'il arrive que parfois vous priez, du moins en certaines occasions, il est possible que ce soit dans des périodes de crise, que ce soit seulement pour la forme ou dans les réunions sociales.

Il se pourrait assurément que votre effort de prière soit sincère et honnête, mais que les résultats tardent toujours à venir. Dans ce cas, le trouble pourrait être causé par une isolation spirituelle: ce sont les ressentiments, les pensées et les actions mauvaises, les pensées négatives et autres manifestations non spirituelles qui agissent comme isolants entre la puissance, la bonté de Dieu et votre personne. Dans ce cas, vos prières ne peuvent pas atteindre Dieu pour la simple raison qu'elles ne sortent jamais de vous. Elles ne peuvent pas s'évader du mur isolant qu'on a soi-même érigé et d'où elles ne peuvent jamais quitter la terre, pour ainsi dire. Bien plus, la puissance de Dieu qui a tendance à se déverser sur vous est bloquée, non parce que vous ne désirez pas les effets de cette puissance, car vous le désirez beaucoup en vérité, mais parce qu'elle ne peut pas pénétrer votre personne à cause des isolants mentaux que vous avez créés. Quand ces pensées et ces isolants seront enlevés, la puissance de Dieu vous envahira comme un torrent. Les choses seront alors changées parce que vous aurez changé.

Ce que ce chapitre nous enseigne sur la prière et les problèmes

1. Brisez le stress en orientant complètement vos pensées loin de vos problèmes pour les tourner uniquement vers Dieu. Quand vous reviendrez à vos problèmes, votre vision des choses sera mieux définie, votre compréhension plus profonde.
2. Chaque jour, réservez-vous un temps de repos pour écouter intensivement les directives de Dieu; écoutez-les avec plus de profondeur que vous ne le faites pour vos propres pensées.
3. Priez Dieu comme partenaire dans chacune de vos entreprises.
4. Qu'une pensée spirituelle et analytique dissèque chaque problème.
5. Pratiquez la méthode de l'inscription et de l'insertion dans la Bible de vos problèmes que vous aurez rédigés le

plus succinctement possible. La simplicité requiert la clarté de l'esprit et c'est de cette clarté qu'originent les réponses.

6. Quand vous priez, demandez au Seigneur de vous donner ses directives et la manière de les appliquer. Puis croyez à ce qu'Il vous dit et faites-le.
7. Gardez les points de contact de votre esprit et de votre âme bien nets, afin que Dieu puisse s'en servir pour opérer.

Réussir sa vie aujourd'hui

«Je crois que je ne me comprends plus, c'est comme la pagaille en moi. Croyez-vous qu'il soit possible que j'aie besoin de quelqu'un pour me faire comprendre que j'ai tort?»

C'était un homme de vingt-quatre ans qui posait cette question un peu pour rire; sorti du collège trois ans auparavant, il s'était engagé avec enthousiasme dans la promotion des ventes. Et il réussissait bien aussi, exceptionnellement bien.

«Vous ne vous comprenez plus?, répétai-je. Certainement pas vous, d'après ce que j'entends dire de vous, de votre performance au travail, vous êtes tout, sauf ce que vous dites. On m'a dit que vous étiez un vendeur-né, que votre record de production allait parvenir à un niveau jamais atteint si vous continuiez comme vous avez commencé. N'essayez pas de me faire croire qu'il y a pagaille en vous. Vous n'êtes pas de ce genre d'hommes.»

«Eh bien, je me demande justement si je n'ai pas tort de vouloir être un créateur, une personne à succès, heureux dans mon travail et heureux avec moi-même.» Son comportement était demi-humoristique, demi-jovial, mais je pouvoir percevoir un certain chagrin sous ses manières faciles.

«Je ne vous suis pas, répliquai-je. De toute façon, qu'est-ce qui ne va pas?»

«Voici ce que je veux dire. Il ne s'agit pas tant de moi que les effets sur les jeunes qui me tracassent. Vous voyez, je participe autant aux activités de mon église qu'à celles de mes affaires. Je crois que je suis ainsi fait. Quand je m'engage dans quelque chose, j'y vais à fond. J'aime donner tout ce que j'ai. Je crois à la participation maximale. Ainsi, j'ai de grandes responsabilités.

«J'ai assisté à une couple de conférences au collège et ce que j'y ai entendu m'a gagné. Elles avaient l'air de vraies réunions spirituelles; j'ai décidé d'être un chrétien engagé, d'être quelqu'un qui veut vraiment vivre sa religion dans tous les aspects de sa vie personnelle, sociale, dans les affaires, dans tout. Voilà ce que j'ai fait et peut-être que cela explique en partie du moins les raisons de mon succès et aussi de mon bonheur.»

«Mais que s'est-il passé?» demandai-je, me rendant compte qu'il y avait du ressentiment quelque part dans la pensée de ce jeune qui semblait productive.

«Bien, voyez-vous, nous avons un nouveau pasteur à l'église. C'est un intellectuel. Vous devriez entendre ses sermons. Il plane comme un ballon au-dessus des têtes de la plupart des gens. Je peux le suivre assez bien, car je n'ai quitté l'atmosphère collégiale que tout récemment, là où vous pouvez entendre tous ces grands mots savants. Dans le fond, c'est un bon type, j'en suis certain, mais je ne peux tout simplement pas le comprendre tout à fait. À l'entendre parler, vous croiriez vraiment que le succès est une affaire sale; que vous ne pouvez pas être chrétien et en même temps réussir. Il projette même une vue rétrécie du bonheur, il se demande sur un ton maussade si quelqu'un a le droit d'être heureux dans un tel monde. Ma foi, il est pessismiste. Quand aux hommes d'affaires, il les considère comme une bande d'escrocs, de républicains ou quelque chose de semblable. Ce n'est pas facile de savoir qui est le pire.»

«Bien, dis-je, selon le jugement cité par *Reader's Digest*, intitulé «Comment 29 compagnies ont eu des ennuis financiers», tout un lot d'opinions sombres continuent de flotter dans l'air.»

«Je dois admettre, même si c'est à regret, continua-t-il, que j'admire ce révérend, car il est très bien intentionné; si seulement il pouvait vivre les deux pieds sur terre. Mais ces arguments, tels qu'énoncés dans ses sermons, ont martelé en moi un sentiment de quasi-culpabilité ou quelque chose de semblable. Si je veux lui plaire, je crois que la seule chose à faire, c'est d'échouer en affaires et d'être tout simplement malheureux. Apparemment, je ferais mieux de rester assis, de mourir d'ennui, de demeurer dans un garage, de me faire pousser une longue chevelure et de dire des sornettes sur l'existentialisme ou quelque chose de semblable. Merde alors», conclua-t-il avec mépris.

«Écoutez, dis-je, vous avez autant le droit d'interpréter le christianisme que votre pasteur. Il n'est pas la seule autorité. Étudiez-le vous-même. Qu'il prenne une attitude négative, amère, c'est son affaire. Nous sommes en pays libre. Vous aussi avez le droit de puiser dans votre foi la force, la joie, le courage, l'amour, la bonne volonté, la satisfaction de créer, en d'autres termes vous avez droit au succès et au bonheur.»

Évidemment, je connais la nature exacte de ses réactions aux idées de son jeune pasteur, car ce type de ministre m'a critiqué pendant des années, parfois avec la haine au coeur, parce que j'enseignais aux gens à penser positivement et à créer quelque chose dans leurs vies. De fait, mon succès a provoqué chez ces ministres une telle colère que je me suis demandé si plusieurs de ces critiques n'étaient pas simplement l'expression d'une jalousie envers des gens qui font quelque chose de leurs vies et de leurs talents. Un vrai chrétien, celui qui a au fond du coeur l'amour de Dieu et l'amour du prochain, se réjouit du succès des autres, de leurs résultats positifs dans l'adversité et les difficultés.

«Mais il m'exaspère», s'exclama avec véhémence le jeune homme.

«Oh, voyons, ne le laissez pas vous influencer de la sorte. Ça ne vaut pas cette dépense d'énergie de votre part. De toute façon, il est probablement meilleur type que vous ne croyez. Écoutez-le avec respect quand il parle à l'église et puis faites qu'il vous écoute avec respect quand vous parlez en-dehors de l'église. Notre religion nous enseigne à penser et à laisser l'autre penser; laissez-le donc penser selon son choix. C'est son droit. Et vous, pensez selon votre choix, c'est votre droit. Et puis, continuez tout simplement à faire du bon travail et à être heureux dans ce travail.

Vous avez droit au bonheur et au succès

C'est non seulement un droit, mais c'est un devoir d'être heureux et de remporter des succès et je ne me préoccupe guère de celui qui dit le contraire. Et il n'y a rien d'incompatible avec le christianisme en cela. Si ce monde était conçu pour apporter du malheur, de fâcheux échecs, alors ce monde ne serait pas l'oeuvre du Dieu créateur en qui je crois. Je crois me souvenir que Jésus-Christ lui-même a dit: «*Je vous dis cela pour que ma joie soit en vous et que votre joie soit complète.*» (Jean 15;11)

J'ai cru de mon devoir d'être certain que le concept de succès de ce jeune homme était conforme avec sa foi, car s'il était entré en conflit avec ses principes religieux, il aurait pu très bien se trouver en conflit avec lui-même. Je lui ai donc demandé de définir le succès. «Est-ce posséder beaucoup d'argent, appartenir à un club snob, fréquenter un entourage sophistiqué, se pavaner en voiture sport?» demandai-je.

«Je ne suis pas arriéré à ce point que mon concept de succès soit celui de l'époque de la diligence. Les vieux sous, le pouvoir, l'idée de succès du gros bonnet sont dépassés, répliqua-t-il. On est moderne maintenant et on a une idée moderne du succès.»

Je préférais plutôt ce point de vue et je soutins que quelques-uns des échecs le plus retentissants jamais connus s'étaient produits chez les riches. Ils possédaient de l'argent, mais c'est tout ce qu'ils avaient. Ou plus précisément, c'est l'argent qui les possédait. À part la capacité d'acheter ce qu'ils voulaient, comme personnes et comme citoyens, c'étaient des ratés. Peut-être que si ces gens-là n'avaient eu dans la vie courante aucun argent, peut-être auraient-ils été heureux et auraient-ils remporté des succès.

Évidemment, j'ai aussi connu des gens qui possédaient très peu et étaient des ratés, des gens qui n'avaient ni le caractère ni la personnalité pour faire quelque chose de valable avec le peu qu'ils possédaient. C'est ce que vous faites avec ce que vous êtes, avec ce que vous possédez ou ne possédez pas qui compte le plus pour déterminer l'échec ou le succès.

Vraiment, les échecs des riches ou les échecs des pauvres ont beaucoup en commun. Le riche dans son échec ne donne rien de son abondance, le pauvre dans son échec ne donne rien de ses limites. Ni l'un ni l'autre ne fournit du meilleur qu'il possède, c'est-à-dire de lui-même. Le riche dans son échec comme le pauvre dans le sien ne se préoccupe que de lui-même, l'un se félicitant de sa richesse, l'autre de sa pauvreté. Ni l'un ni l'autre ne se soucie du monde et de ses problèmes. En résumé, les deux sont centrés sur eux-mêmes. Tous les riches ne sont pas mauvais et tous les pauvres ne sont pas bons. C'est un fait que le sage apprend en devenant mature. Il est cependant évident qu'il y a des hommes qui ne deviennent jamais matures.

L'idée moderne de succès que préconisait notre jeune ami m'intriguait. «C'est en tant que personne qu'on doit remporter du succès, disait-il, c'est-à-dire un succès qui est intégré à votre personne et dont vous avez le contrôle, un succès qui dépend de vos relations avec votre milieu et qui est contrôlé par lui. Avoir du succès, c'est avoir le sens de l'organisation, c'est être calme, avoir de l'assurance, c'est être philosophe, c'est être raffiné de manières, c'est être confiant et courageux, c'est être tout cela et rien de moins. C'est être tourné vers l'autre, prêt à rendre service, prêt à prendre charge et tous ces qualificatifs s'appliquent. C'est donner de vous-même et de ce que vous possédez à des fins sociales. En résumé, on pourrait dire que c'est rendre chaque chose et chaque individu que vous côtoyez un peu meilleurs. Si vous ne faites pas cela, si vous n'êtes pas cela, c'est absolument certain que vous ne pouvez envisager le succès.»

«Mais comment devenir vice-président avec un gros salaire et une part des revenus? Est-ce cela être heureux, est-ce cela remporter des succès?» demandai-je.

«Oui, d'accord, pourvu que vous remportiez des succès comme personne. Et voici un autre point: si vous faites de l'argent, vous avez en outre la responsabilité accrue d'en faire un bon usage. Face à l'insuccès, le riche croit que l'argent est tout simplement fait pour lui adoucir les sentiers de la vie, pour ajouter à son propre confort et à sa sécurité. Face au succès, le riche est une personne responsable qui administre ses biens en reconnaissant ses obligations sociales et même en ne manquant pas d'opportunisme; même plus, il se voit vraiment comme un intendant des richesses qui en réalité appartiennent toutes à Dieu. Il est simplement l'agent de Dieu en manipulant l'argent de façon créatrice. Où donc le pasteur puise-t-il cette pieuse doctrine selon laquelle personne ne peut faire de l'argent, en posséder et demeurer toujours chrétien? Si vous me demandez mon avis, je vous dirai que c'est un penseur échevelé.»

«Vous ne devez pas penser à ce ministre, dis-je à mon jeune ami, car si vous laissez les gens vous vexer de la sorte, vous-même, vous n'aurez pas de succès comme personne. Vous êtes en train de vous établir dans un ressentiment de première classe contre cette forme de ministère trop solennel. Il vaut mieux commencer à penser qu'il est un être humain, qu'il est lui-même en trouble. J'oserais dire que son système de pensée est quelque peu dérangé. Il ne fait aucun doute qu'au début, ce sont des motifs d'ordre spirituel qui l'ont poussé à devenir ministre. Puis il s'est inscrit dans un séminaire où il s'est imaginé qu'il pourrait approfondir ses connaissances spirituelles, mais il est probable qu'ils l'ont vidé de ses élans religieux et ont exercé un sévère remaniement de ses pensées. De fait, ils ont pu le détourner de l'esprit religieux pour l'orienter vers une espèce de pieuse sociologie. Il en résulte souvent un mélange et un bouleversement des esprits chez les gens du peuple qui en d'autres circonstances développeraient un véritable concept de la vie et de la société sans un tas de complications.

«Je crois me souvenir d'un exposé du philosophe Santayana qui disait que celui qui donne une mauvaise orientation à l'esprit produit un effet aussi désastreux que s'il vous frappait en pleine figure. Il vaut donc mieux commencer par aimer votre pasteur et modifier l'orientation de son esprit. Cela pourrait être un des rôles du laïc d'aider à corriger les distorsions qui résultent d'une certaine éducation théologique; je dis bien d'une certaine éducation, car ce ne sont pas toutes les écoles de théologie qui vident la religion de son sens. Mais comme on l'a vu en certains cas, cela peut prendre à quelques jeunes pasteurs de cinq à dix ans de travail en milieu populaire pour recouvrer une vraie perspective et équilibrer ce qu'ils ont pu avoir perdu au séminaire.

«Mais retenez bien ceci: on ne doit pas concevoir ce procédé de changement comme un moyen de forcer un pasteur à penser comme vous ou de lui faire accepter vos points de vue. C'est possible, je dis bien c'est possible, qu'en tant qu'homme d'affaires vous ne sachiez pas tout non plus. C'est d'en arriver l'un et l'autre à un point où vous pouvez vivre dans une attitude d'estime mutuelle, trouvant ensemble des réponses susceptibles d'apporter des solutions aux problème de la vie.»

«D'accord, dit-il, je vais continuer à remporter les succès que Dieu veut de moi, puis, ajouta-t-il en riant, je vais aussi avoir le courage d'être heureux sans aucun sens de culpabilité. Et je vais continuer de travailler à cette affaire d'amour», se dépêcha-t-il d'ajouter.

J'étais heureux de sa décision, du succès et du bonheur qu'il connut plus tard, car pendant des années, tout au cours de mes écrits, j'avais encouragé mes lecteurs dans cette voie.

La Bible encourage le succès et le bonheur

J'ai toujours soutenu que l'un des plus grands facteurs de succès et de bonheur est une lecture et une étude sérieuse de la

Bible qui incruste ses vérités dans les profondeurs de la conscience. Il y a des professeurs et des prédicateurs qui m'ont vertement attaqué dans leurs écrits ou dans leurs paroles parce que, prétendent-ils, je me suis «servi» de la religion.

Et puis après! Nous devons nous servir de la religion pour nous aider à réussir jusqu'à un certain point dans la vie. Et plus vous identifierez religion et vie contemporaine, meilleurs seront aussi le monde et les gens. Laissez donc ceux qui critiquent tempêter et déprécier les efforts faits pour aider les gens en appliquant la parole de Dieu aux problèmes de tous les jours. Ils me laissent tout à fait froid. Je vais tout simplement continuer à faire ma petite part pour aider les gens à remplir leurs vies, à les rendre valables, à se laisser guider par Dieu autant que possible dans ce monde impitoyable.

Cela scandalise de se rendre compte que certains ministres n'ont apparemment pas une foi suffisamment forte et vivante pour les rendre capables de faire face à un vrai monde d'hommes; ainsi n'étant pas capables de résoudre leurs problèmes, ils se réfugient dans les cloîtres, bien protégés de la religion pour éviter d'être souillés par ce qu'ils appellent «le système économique injuste et amoral».

William Cohea nous parle de ces trois types d'hommes. «Récemment, lors d'une conférence au Union Theological Seminary, dit-il, on attaqua ma thèse sur le ministère des laïcs dans ce monde. Les attaquants étaient trois hommes qui venaient de quitter le monde de l'industrie pour entrer au séminaire.

«Le plus agressif de tous (vous me permettez de me demander pourquoi ils sont toujours agressifs) était un homme qui avait oeuvré dans l'industrie pendant dix-huit ans. Dans son exposé, il mettait fortement l'accent sur le fait que pendant son séjour dans l'industrie, il avait cherché à secourir les besoins de son prochain. De fait, son bureau était devenu un centre de counselling. Mais après dix-huit ans, il avait décidé qu'il aimait tellement le Seigneur qu'il devait joindre les rangs du clergé.

«"Pourquoi le clergé?" demandai-je.

«"C'est là qu'on peut *vraiment* servir le Christ", répondit-il.

«"Mais ne serviez-vous pas le Christ comme laïc à votre travail?"

«"Oui et non, continua-t-il. Voyez-vous on ne peut pas *vraiment* être chrétien dans le monde industriel. Le tiraillement était trop grand pour moi. En ce milieu, tout n'est que compromis et conflits. J'ai donc décidé que l'unique place où on peut *réellement* servir le Christ, c'est dans le ministère. Me voici donc au séminaire et j'ai déjà une église."

«"Dites-moi maintenant, demandai-je, que dites-vous à ces gens qui viennent de l'industrie pour vous voir et dont la vie n'est que compromis et conflits?"

«"Je les comprends et je peux parler leur langage. L'un deux disait récemment que c'était merveilleux d'avoir un pasteur qui parlait comme eux."

«"Oui, dis-je, et que leur dites-vous de faire s'ils se sont totalement donnés au Christ? Leur dites-vous de quitter l'industrie et d'entrer au séminaire?"»

Il ne répondit pas. Évidemment. Ces hommes se faisaient illusion. Ils ne pouvaient tout simplement pas prendre la responsabilité de vivre dans le monde, aussi ont-ils mis le cap vers un foyer de sécurité.

Ceux parmi nous qui ont ce qu'il faut pour vivre dans le monde, pour suivre encore le Christ et consacrer leur vie au Seigneur, ceux-là croient qu'on peut se servir de la Bible comme d'un instrument pratique pour connaître le succès et le bonheur qui l'accompagne tels que nous les avons définis.

Comme président du Horatio Alger Committee of the American Schools and College Association, j'eus le privilège durant plusieurs années de présenter à chaque fois l'Horatio Alger Award à une douzaine de cadres du monde des affaires et à des professionnels, tous choisis pour cet honneur au scrutin secret par des étudiants d'Amérique. Ils sont des preuves vivantes de l'opportunité d'une économie de libre entreprise qui a conduit des hommes après d'humbles débuts à mettre sur pied de vastes entreprises et à contribuer à l'amélioration continue des standards de vie de notre pays et de tout le peuple. Ces hommes sont de vrais penseurs positifs à l'époque où ils vivent.

Un de ce groupe fut Alfred C. Fuller, autrefois enfant timide, élevé à la campagne en Nouvelle-Écosse, qui a bâti l'énorme entreprise de Fuller Brush Company avec des profits nets annuels de plus de cent millions de dollars. Monsieur Fuller était une personne charmante que ses associés appelaient «papa Fuller».

Fuller qui se fait une gloire d'avoir été un garçon gêné lors de sa venue à Boston pour y chercher de l'embauche, dit que sa gêne lui fit perdre plusieurs emplois: de fait, ce fut long avant qu'il pût s'en départir. Mais comme c'est bien connu, il est devenu plus tard un industriel compétent et d'une grande sagesse. Comment? En étudiant la Bible, dit-il. En fait, il établit ses installations à Hartford, Connecticut, pour l'unique raison que la vieille Bible familiale qu'il possédait en Nouvelle-Écosse avait été imprimée dans cette ville.

Voici ce que monsieur Fuller a à dire sur l'emploi de la Bible dans les affaires:

> Ce qui m'impressionne le plus quand je regarde le passé, c'est l'immense application que j'ai faite des vérités de la Bible dans ma vie quotidienne. Si je considère toute ma vie, ma scolarisation déficiente ne fut pas un passif mais un actif. À cause de mon manque d'instruction, j'ai fait de la Bible mon centre de référence dans toutes les situations possibles éventuelles. Ce n'est que lorsque je me suis éloigné de cet enseignement ou que j'ai tenté de l'interpréter de façon erronnée pour accommoder mes propres désirs que j'ai échoué.
>
> Celui qui ne vit pas tous les jours dans sa lumière est fou, car il rejette la plus grande source de profit personnel qui existe au monde. La Bible est le livre par excellence du parfait bricoleur jamais édité; il couvre tous les éléments essentiels que chacun a réellement besoin de connaître.

Fuller ignorait totalement le calcul du prix de revient, les méthodes d'évaluation, voire la comptabilité et à son dire, il ne connaissait pas les techniques de l'administration ni celles de la gestion du personnel. Il reconnaissait en toute humilité manquer de ces qualités qui sont si essentielles au succès. À force de vivre avec ses employés clefs, il se rendit compte que le temps était venu d'ébaucher une philosophie précise comme employeur. Il parle de cette méthode en ces termes:

> Ordinairement, aux heures où j'avais besoin de conseils éprouvés sur des sujets qui me dépassaient, j'étudiais ma

Bible pour y trouver la lumière. À la fin, j'en venais toujours à ce passage de Luc: «*Lorsque quelqu'un t'invite à un repas de noces, ne va pas t'étendre sur le premier divan, de peur qu'un plus digne que toi n'ait été invité par ton hôte, et que celui qui vous a invités, toi et lui, ne vienne te dire: Cède-lui la place. Et alors tu devrais, plein de confusion, aller occuper la dernière place. Au contraire, lorsque tu es invité, va te mettre à la dernière place, de façon qu'à son arrivée celui qui t'a invité te dise: Mon ami, monte plus haut.*» (Luc 14; 8-10)

Trois de mes employés montraient un plus haut savoir que moi dans leurs propres disciplines. Je me rendis compte que monter une entreprise c'était essentiellement posséder un réservoir de main-d'oeuvre en possession des qualités qui me manquaient. Comment alors les récompenser et quelle devrait être mon attitude à l'égard de mes employés? Le livre de Matthieu me donna une suggestion: «*Et celui qui a été semé dans la bonne terre, c'est celui qui entend la Parole et la comprend: celui-là porte du fruit et produit tantôt cent, tantôt soixante, tantôt trente.*» (Matthieu 13; 23)

À partir de ces trois passages, j'en arrivai à la conclusion que croître personnellement aux dépens de mes associés ce n'était pas normal. Je devais demeurer tel que j'étais et trouver parmi mon entourage ceux qui apporteraient de l'eau au moulin et récompenser chacun selon son apport. Ce n'est pas parce que j'étais propriétaire de l'entreprise que j'étais meilleur que n'importe quel autre. Nous étions tous dans le coup, nous réussirions ou échouerions ensemble. Me souvenant de cela, je savais que, moi aussi, je grandirais en importance et en talents pour y apporter ma contribution.

Comment acquérir un savoir-faire approprié

Au cours de la vie et des problèmes qui l'accompagnent, il est important d'acquérir une technique de base et je veux dire par là qu'il est plus important de comprendre en profondeur que de posséder l'information technique. On peut décrire ce savoir-faire en profondeur par un vieux mot qu'on a plutôt mis au rancart: *sagesse*. Quand vous possédez la sagesse, une fine compréhension de la vie et de ses premiers principes, vous pouvez finalement devenir une personne intelligente, une personne qui possède le savoir-faire, la perspicacité, la profondeur de vue et l'adresse. Et la personne sage possède une autre qualité que les Américains aiment beaucoup et qu'ils appellent dans leur langage ordinaire le *gros bon sens*. Cette qualité a vraiment bâti l'économie américaine, car elle représentait l'aptitude des gens à s'occuper des besoins humains fondementaux, à y joindre l'étude et la recherche pour en arriver constamment à des méthodes et des procédés améliorés. Le bon sens yankee a stimulé des succès spectaculaires dans ce pays, a produit et contribué largement au bonheur et au bien-être d'un très grand nombre de gens. Il va sans dire qu'il a aussi engendré des stress, des injustices, des iniquités, des problèmes en abondance. Mais on doit se souvenir qu'inhérent à ce système, il n'y a pas que des faiblesses, mais aussi un pouvoir de correction et de renouvellement.

Le bon sens, si important au succès et au bonheur, ne se présente pas sans cette caractéristique qui l'accompagne et dont le rappel ne plaît sans doute pas à quelques esprits modernes.

Je veux parler de cette qualité pratique qui stimule et maintient l'élan. Pour être bien compris, je veux simplement parler du dur boulot, du courage nécessaire pour y faire face, d'un courage qui ne laisse rien qui barre la route aux buts et objectifs à atteindre et qui apporte beaucoup de plaisir en même temps.

Il est vrai que cette motivation de l'élan a produit quelques dépressions nerveuses et quelques névroses, mais pour un très grand nombre de personnes, elle a été source de bonheur et de succès et c'est pour cela que nous sommes en sa faveur. Je sais de science certaine que le dur labeur rend heureux parce que j'ai travaillé fort toute ma vie durant et je suis heureux. Je n'étais qu'un enfant quand je suis allé travailler pour la simple raison qu'il le fallait pour manger et j'étais un gros mangeur. Il m'est arrivé quelquefois, je dois l'admettre, d'en avoir assez de travailler constamment et de toujours travailler. J'ai donc essayé de flâner, mais je ne pouvais pas le faire longtemps. La flânerie ne me rendait tout simplement pas heureux. C'est pour le moins bizarre qu'un homme revienne à ses agissements d'enfant. Quoiqu'il y ait peut-être des gens qui aiment vraiment le genre de vie insipide qu'ils s'accordent, je n'ai jamais personnellement rencontré une de ces personnes qui puisse se dire véritablement heureuse. Ils se privent du pouvoir créateur que Dieu leur a donné et qu'il vous fait développer si vous voulez aussi bien être heureux que réussir.

Il existe évidemment un très grand nombre de gens qui vous diront que de nos jours, contrairement à hier, le dur labeur ne mène nulle part. J'ai entendu si souvent cette ritournelle mélancolique dans la bouche d'hommes faibles que, moi-même, Dieu merci, même si j'ai failli y croire, je n'y ai pas cru. Maintenant, je n'y crois pas du tout.

Histoire d'un succès moderne

Une raison qui fonde ma conviction, c'est John M. Et qui est John M.? Eh bien, à mon avis, c'est un des Américains les plus raffinés, les plus réalistes que j'aie jamais connus.

C'est à Sorrente en Italie que j'ai rencontré John pour la première fois. Ma femme et moi aimons ce littoral enchanteur qui se déroule depuis Ravelle et Amalfi jusqu'à Sorrente et qui nous permet de rêver en surplombant la baie de Naples. Mais dans cette ville, il y avait un citoyen qui faisait plus que rêver quoiqu'il eut sa part de rêves enfouis dans son coeur.

Dans un square de Sorrente, il y a une boutique que ma femme encourage beaucoup. J'avais l'impression qu'elle achetait tout le magasin. «Toi, dis-je, tu es candide face à ces commis à l'esprit vif. Ils peuvent te vendre n'importe quoi.» Personnellement, je ne voudrais même pas entrer dans la boutique. «Je ne veux rien de ce qu'ils ont. Ensuite je suis un voyageur d'expérience et on ne pourrait rien me vendre.»

«Oui, chéri, je sais. Ils n'essaieraient pas de te vendre quelque chose, car ils pourraient voir tout de suite que tu es trop intelligent pour eux. De toute façon, entre seulement pour te mettre à l'abri de ce soleil ardent.» Elle m'enjôla par sa douceur et me conduisit au département des toiles où bientôt je signais des chèques de voyage pour ses achats.

Puis s'amena un gentil garçon italien qui m'offrit un Coca-Cola pour me rafraîchir. Il semblait tout à fait intéressé à l'Amérique et à moi personnellement et nous eûmes un agréable entretien. Je me retrouvai bientôt au département des meubles écoutant une magnifique description de la construction de ces superbes pièces. Tout était présenté de façon si plaisante et avec une telle franchise qu'une heure plus tard, dans mon enthousiasme, j'achetais tout un ensemble pour être expédié à la maison.

«Mon garçon, vous êtes tout un vendeur, dis-je dans mon admiration à John M.; comme on dit chez nous, vous auriez pu vendre le pont de Brooklyn. Vous réussiriez certainement aux États-Unis.

«C'est là que je veux aller, dit-il, ma femme est américaine et tous deux nous voulons nous établir aux États-Unis. Je n'y suis jamais allé. Ma femme était venue ici en visite. Elle y est demeurée après m'avoir rencontré.»

«Vous lui avez fait des ventes à elle aussi? dis-je en souriant. Qu'est-ce qui vous empêche de venir en Amérique?» demandai-je.

Il fit allusion à certaines difficultés que cela comportait. «Prenez seulement une décision et quand vous serez décidé de venir, lui dis-je tout en flammes, quand vous serez décidé de venir, laissez-le-moi savoir et je vous trouverai un emploi.» Puis je lui décrivis les grandes lignes des techniques de la pensée positive et je lui dis que je lui enverrais par avion une copie de mon livre intitulé *The Power of Positive Thinking.*

A-t-il lu le livre? Ce n'est pas la moitié de la surprise. Environ un mois avant Noël, ma secrétaire me dit: «Un jeune homme veut vous voir. Il dit qu'il est votre ami et vient d'Italie.»

«Un ami d'Italie... Que veut-il?»

«Il dit qu'il veut l'emploi que vous lui avez promis.»

«Je n'ai promis d'emploi à personne.» Je suis très occupé dans la vie et j'avais oublié l'incident de Sorrente. «Comment s'appelle-t-il, cet ami?»

«John M.» dit-elle. C'était bien vrai, John était ici en personne.

«Comment êtes-vous venu ici?» demandai-je.

«Mais comment croyez-vous que je suis venu? Mais avec l'aide de Dieu et la pensée positive.» Telle fut sa réponse concluante.

Il me revenait donc d'être fidèle à ma promesse et de trouver un emploi à John. J'écrivis des lettres aux dirigeants d'une demi-douzaine de magasins importants de New York, chaque lettre indiquant que des copies similaires avaient été envoyées à d'autres magasins d'importance. Parmi les destinataires, il y avait des hommes que je connaissais, d'autres pas; mais je leur disais quelque chose comme suit: «À Sorrente, Italie, j'ai rencontré l'un des plus grands vendeurs-nés que j'aie jamais vus. Il est ici à New York, prêt à travailler pour l'employeur qui aura la chance de l'embaucher. Le premier qui lui offrira de l'emploi, l'aura.» La semaine n'était pas terminée et il était embauché par un important manufacturier de vêtements pour hommes.

Ce garçon serait-il perdant en Amérique?

«Je vais travailler fort et donner tout ce que je peux, dit John, je vais essayer de me dépasser et d'être partie intégrante de ce merveilleux pays.» Ses yeux étincelaient d'amour pour l'Amérique, pays d'ouvertures sans limites. La flamme absolument fascinante qu'on appelait le rêve américain brûlait en lui. Quoiqu'il ne pût le définir, il était de la lignée d'Horatio Alger; des profondeurs de l'abîme jusqu'aux limites du ciel, il n'y a rien de trop bon pour être vrai à l'homme qui veut travailler pour l'atteindre.

J'ai hésité. Devais-je lui dire, même si c'était cynique, que de nos jours il est vieux jeu de rêver comme ça, que seule la drogue a vraiment de la valeur, qu'un homme ne coopère pas avec les autres qui essaient de faire un bon travail? Devais-je lui dire comment quelques contremaîtres pénalisent celui qui travaille fort et fait du meilleur boulot? Devais-je lui parler de ces «honorables» voleurs qui volent le temps du patron ainsi que sa marchandise? Devais-je lui parler de ces hypocrites qui sont en affaires, qui sont parfaitement d'accord pour laisser quelqu'un se brûler à l'ouvrage et ensuite lui refuser la promotion qu'il avait méritée?

Non, ce n'est pas moi qui ferai cela. Ce n'est pas mon rôle de faire perdre leurs illusions aux hommes, mais plutôt de les encourager sur la route des idéaux les plus élevés et je crois aux idéaux car ils sont bons et durs à atteindre. Quand les idéaux d'un homme sont l'essentiel pour lui, même des événements aussi révoltants par leur malhonnêteté, aussi sordides ne peuvent le dégonfler. Un tel homme peut s'assagir au contact des événements, mais il les domine toujours. Et, Dieu merci, il est toujours possible en Amérique de s'élever au-dessus de ces matériaux de qualité inférieure. Et l'homme qui domine et qui continue de dominer continue de monter. Il réussit, il atteint les hauts échelons et y demeure. Et c'est exactement ce qu'a fait John.

La période des affaires du temps de Noël prit fin et tous les employés supplémentaires furent remerciés sauf John. Le contremaître dit: «Le seul emploi disponible est dans la vente des chapeaux. Il y a un poste vacant dans ce département, mais actuellement la vente des chapeaux ne fait pas fureur. C'est la mode d'aller tête nue et d'avoir l'air étudiant.»

«Bien, dit John, je n'ai jamais porté de chapeau, mais vendeur de chapeaux, c'est exactement ce que je veux être. Quand dois-je commencer?»

Les principes du succès conduisent au succès

John mit immédiatement les principes du succès en opération. La première vente qu'il fit, ce fut à lui-même. Puisqu'il allait vendre ces chapeaux, il lui fallait les connaître. Il devint si vendu à l'idée de vendre des chapeaux, que ce ne fut pas long qu'il vendit des chapeaux à tous ceux qui se présentaient. Et il imagina des plans pour attirer la clientèle et la conserver.

Naturellement, un garçon comme John fut remarqué. Il était différent et on ne peut s'empêcher de remarquer les gens différents. Et qu'est-ce qu'il y avait de différent chez lui? Il travaillait. Il ne flânait pas et il était heureux. Il irradiait quelque chose. Il était enthousiaste. Il avait foi dans les chapeaux. Il aimait vendre des chapeaux. Précisément, il essayait de vendre des chapeaux, non pas un seul mais deux ou trois selon les assortiments d'habits, comme le font les femmes. Il n'était pas comme ce commis de ferronnerie à qui un client demandait un pinceau. Que croyez-vous que fit le commis? Il vendit le pinceau à l'acheteur mais seulement le pinceau demandé. Il ne tenta cependant pas de lui en vendre un deuxième, avec de la peinture et de la térébenthine. Le client n'eut que ce qu'il avait demandé, n'est-ce pas?

Le même client m'a dit qu'on avait répété le même mauvais procédé dans trois magasins. Évidemment ces commis n'étaient pas des vendeurs. Ils ne faisaient que prendre des commandes. Rien de surprenant que de tels hommes n'aboutissent jamais quelque part.

J'ai entendu parler d'un homme qui avait fait un test dans différents magasins de vêtements pour hommes. Il entra et dit au commis: «Mes valises ont été égarées dans un méli-mélo de bagages à l'aéroport. Je n'ai plus rien si ce n'est ce que je porte. Je voudrais acheter une chemise.» Le commis a-t-il essayé de lui vendre des chaussettes, des cravates, des pyjamas, des sous-vêtements et autres nécessités ordinaires? Que pensez-vous? Croyez-le ou non, on ne lui a rien offert de plus jusqu'à ce qu'il vint au magasin numéro cinq où il répéta l'expérience. Là, il rencontra un vrai vendeur, un commis actif et plus qu'un robot qui prend des commandes. Il vendit au client tout un ensemble de vêtements et une valise pour emporter le tout.

Évidemment le manufacturier de chapeaux a bien apprécié John. Résultat: il est aujourd'hui président d'une grosse organisation de fabrication de chapeau.

Qui a prétendu que l'Amérique n'est pas le pays de la chance? Il l'est certainement pour l'homme qui a en lui le pouvoir de saisir l'occasion et tout homme l'a si seulement il le sait. John est heureux, il réussit, il est un grand Américain et il a prouvé que la pensée positive est efficace aujourd'hui comme en n'importe quel autre temps.

Je sais que plus d'un lecteur de ce livre aimerait acquérir et posséder l'esprit et les attitudes que nous avons décrits, mais ils ont peut-être perdu, la foi en eux-mêmes. L'enthousiasme d'hier en a pris pour son rhume. Et puis après? Empressez-vous seulement de le reconquérir, voilà la réponse. Et comment cela se fait-il? Eh bien, en premier lieu, qui vous a donné la vie? Évidemment, c'est Dieu et il peut vous faire revivre encore. Donc si vous êtes triste, perdu, intoxiqué ou tout simplement désillusionné, le premier pas à faire pour vous revitaliser, c'est de remettre l'accent sur le Seigneur dans votre vie. C'est aussi simple que cela.

«Très bien, me demanderez-vous, mais comment cela se fait-il? Ça m'a l'air compliqué et vague.»

Permettez-moi de vous recommander une technique que j'ai utilisée, car n'allez pas croire que je n'ai pas eu moi aussi ce problème de perte de confiance en moi et du déclin d'enthousiasme qui l'accompagne. Chacun, à un moment ou l'autre, en a fait l'expérience.

Ma méthode personnelle, c'est de rechercher l'isolement, de m'asseoir tranquille jusqu'à ce que j'aie atteint un état convenable de relaxation du corps et de l'esprit. Puis je m'exerce à concevoir Dieu, le Créateur, comme s'il entrait vraiment en contact avec moi, me recréant vraiment à l'heure même. Je prends conscience qu'une nouvelle vie s'écoule de Lui dans mon corps et mon esprit. Je me représente mon esprit qui se renouvelle encore à l'heure même, pas plus tard mais sur-le-champ. Je me représente comme établissant un contact électrique vital. Puis je prononce à haute voix et lentement les paroles suivantes: «*C'est en Lui que j'ai la vie, le mouvement et l'être.*» (Actes 17; 28) Les trois éléments dynamiques dans ce texte scripturaire sont: l'*identification* (en Lui, j'ai la vie), le *mouvement* et l'*être*. Comme résultat de ce procédé, je sens un vrai renouveau dans mes sens, dans mon esprit et dans mon âme. Le procédé est réellement efficace.

Et puis alors, je me rappelle qu'à l'intérieur de moi, il y a toutes les qualités, les capacités, les pensées et les impulsions nécessaires pour réussir et pour remplir une vie. Je répète à haute voix les paroles dynamiques suivantes, et elles sont dynamiques car elles produisent et transmettent la puissance: «*...le Royaume de Dieu est au milieu de vous.*» (Luc 27; 21) Pour que ce soit personnel j'emploie le pronom *moi*. Je n'oublierai jamais la première fois que le sens profond de ces paroles a commencé à poindre en moi. L'idée que je m'en faisais, c'était qu'un roi est toujours riche et puissant. Il a tout ce qu'il faut pour rendre sa vie agréable. Dieu est le plus grand de tous les rois. Il a tout entre ses mains. Ainsi donc, toutes les richesses du royaume de Dieu, c'est-à-dire sa puissance, sa paix, sa joie, sa santé sont en moi comme en son enfant qu'Il a lui-même créé. Il a tout mis cela en moi, en vous, pour notre usage.

Sur-le-champ, comme dans un éclair, je me vis en possession de ces richesses sous la forme de force, de courage, de paix, de capacité, quoique je savais que j'étais complètement dépourvu de ces actifs. Je sus alors que je n'avais qu'à y puiser comme dons que Dieu avait placés en moi, parce qu'Il savait que j'en aurais besoin pour vivre une vie entièrement bien remplie. Et quand en réalité vous puisez à même ce trésor pour en vivre avec confiance, vous les avez en quantité abondante et vous pouvez continuer d'y puiser, la source d'approvisionnement ne se tarissant jamais.

Une vie heureuse couronnée de succès a été bâtie en vous

Essayez-le et vérifiez par vous-même. Une vie heureuse et couronnée de succès a été bâtie en vous par Dieu qui vous a créé. Si vous n'avez jamais expérimenté ce genre de vie, il se peut que vous ayez besoin d'être recréé. Et cela prend Dieu pour le faire pour vous. Mais Il va le faire. Vous recevrez alors la lumière intérieure et la technique spirituelle pour vaincre l'un des plus grands facteurs de défaite, la tendance à l'autodestruction.

Un vieil ami, Fred H., s'est rendu compte que c'était vrai. Il avait vécu des heures pénibles dans sa vie, mais il avait trouvé la réponse. Le problème de Fred, c'était d'avoir encouragé sans y penser sa propre destruction. Il y a en nous un mélange de bon et de mauvais, de ciel et d'enfer, de royaume de Dieu et de royaume de Satan. Celui-ci est dominateur et le demeure, voilà le problème, comme l'exprime Shakespeare en huit mots pleins de sens: «Être ou ne pas être, voilà la question.»

Nous avons tous à faire face à des problèmes psychologiques ou spirituels qui s'opposent: faiblesse ou force, crainte ou foi, pensée positive ou pensée négative. Ainsi donc l'influx créateur cohabite en nous avec la tendance à la destruction. La technique pour vaincre l'autodestruction, c'est de mettre l'accent sur le contraire, sur le facteur créateur qui est en nous.

Il est important de se rendre compte que les hommes en principe ne sont pas détruits par d'autres gens, par des conditions, des situations, voire par la société ou le gouvernement. Fondamentalement, ce sont leurs propres complexes et leur tendance à l'autodestruction qui rendent vains les efforts et les détruisent. Et la planche de salut, c'est la tendance créatrice que Dieu a placée au coeur de chaque homme.

C'est ce qu'a découvert Fred H. et je l'ai observé aux prises avec ce problème au cours des ans. Mais Fred a trouvé sa propre réponse de renouvellement; en dernière analyse, c'est seulement votre propre réponse qui est la vraie réponse à vos problèmes.

Laissons plutôt la parole à Fred, telle qu'exprimée dans la lettre suivante:

Il surmonta la tendance à la destruction

Mon cher Norman,

Il y a trente-deux ans en ce mois de mars, vous nous avez mariés, S. et moi. Durant les dix-huit années qui suivirent, je vécus bien. Le bon emploi que j'occupais pour une compagnie de services publics assurait ma famille d'un certain confort.

Puis, c'est bizarre, mais je devins insatisfait et je me trouvai des raisons pour quitter mon emploi. Je devins animateur professionnel dans le domaine du divertissement à la pire période de l'histoire du show-business. Deux ans passés dans cette situation précaire, de longs voyages loin de chez moi m'ont ramené à la réalité et aussi à un monde de désespoir. Je me suis tourné vers la boisson pour noyer mon dégoût de moi-même.

Dans un effort pour retrouver mon équilibre, j'ai essayé de faire en sorte d'être réembauché par la compagnie de services publics. Vous-même et bien d'autres ont écrit des lettres en ma faveur. Vains efforts. J'avais alors quarante-quatre ans et il devint difficile de trouver un emploi rémunérateur. Je fis du porte à porte comme vendeur et de temps à autre je me faisais un salaire raisonnable. Cependant, j'étais constamment rempli de haine pour moi-même, j'avais honte de ce geste que j'avais posé et qui avait amené ma femme et mes fils à un niveau très bas d'insécurité.

Chaque fois que je sollicitais un emploi à plein temps dans une compagnie reconnue, on ne pouvait pas croire qu'un homme responsable de plus de quarante ans avait quitté une compagnie de services publics pour faire ce que j'avais fait! À cette époque, j'étais complètement rejeté et battu.

Ma femme s'était trouvé un emploi comme infirmière de nuit et, en plus de ses obligations, elle essayait de prendre soin de la maison et de nos enfants. Mon revenu avait sans cesse diminué. Cependant j'avais cessé de boire et j'avais pris la résolution de vivre sobrement quoi qu'il arrivât.

Chaque matin, à l'arrivée de ma femme et avant que je parte travailler, nous avions commencé à consacrer quinze minutes à la prière, à lire la Bible et à demander à Dieu de nous diriger. Nous mettions nos pensées par écrit et les idées qui en découlaient. J'ai encore ces notes et je peux vous dire qu'elles sont mes plus précieux avoirs.

Un de ces matins-là, je fus dans l'obligation de conduire ma vieille voiture au garage pour une réparation majeure. Au lieu de m'adresser à l'homme qui avait réparé notre voiture pendant plusieurs années, il m'apparut très clairement que je devais aller à un autre atelier situé dans un autre coin de la ville. Je connaissais le propriétaire, mais je ne l'avais pas vu durant les vingt dernières années. C'est ce que j'ai fait! Quand je revins chercher ma voiture à la fin de la journée, une voiture étrangère de très belle apparence était stationnée à côté de la mienne. Comme j'étais à l'admirer, son propriétaire arriva. Après les présentations d'usage, nous fîmes quelques plaisanteries et il partit. J'appris du garagiste qu'il était propriétaire d'un poste de radio, qu'il avait eu des ennuis financiers d'importance, qu'il était parvenu à remonter la côte non sans efforts.

Plusieurs jours s'écoulèrent et je ne pensais plus à cette rencontre. Puis un matin, lors de ma prière avec S. je revis la figure de cet homme et tout ce qu'il avait vécu jaillit en mon esprit. Je décidai sur-le-champ de le retrouver, de lui raconter mon histoire et de lui offrir mes services. C'est ce que je fis. À mon arrivée au poste de radio, il attendait une voiture qui l'amènerait à l'aéroport. Je lui proposai de l'y conduire. Il fut d'accord. Il m'a dit n'avoir aucune possibilité d'emploi. J'ai dit et je me souviens de chacun des mots: "Je veux travailler dans cette entreprise avec l'énergie du désespoir. Mes antécédents dans différents domaines me conduisent à votre genre d'entreprise et je serai un actif pour vous." Il me regarda dans les yeux et dit: "Venez au poste aussi souvent que vous voudrez, restez-y aussi longtemps que vous le voudrez, demandez à mes garçons de vous enseigner les rudiments de l'emploi, apprenez le maniement des organes de commande, apprenez à lire les nouvelles. Après deux semaines, si vous êtes suffisamment bon, je vous embaucherai à 50 $ par semaine et une commission sur les ventes.» J'acceptai. En moins d'un mois, j'étais le numéro deux aux nouvelles et quelques mois plus tard, on m'offrait une position de gérant. Au mois de mars de cette année, je commencerai ma quatrième année de gérance ici et je viens d'être nommé président de notre corporation. Chaque jour, je remercie Dieu plusieurs fois de m'avoir conduit ici. En trois brèves mais glorieuses années, j'ai été capable de récupérer mes pertes, de gagner maintenant un salaire convenable et recevoir un pourcentage sur les profits.

Hier encore, je voyais tout en noir, j'étais abattu, je conservais mon idée fixe de suicide et maintenant, je suis très actif et alerte. Je suis devenu membre du club Rotary et mon travail m'a permis de devenir membre de la fraternité des journalistes.

Nous jouons au golf au club local. S. et moi-même, âgé de cinquante-six ans sommes devenus, membres du Figure Skating Club où nous avons appris à patiner. Nous patinons trois fois par semaine et nous y trouvons plus de plaisir que les enfants. J'essaie aussi de dépasser mon fils en algèbre et après vingt-cinq ans, je me suis remis à jouer du banjo à cinq cordes pour me détendre.

Si cet exposé peut aider quelqu'un, vous êtes entièrement libre d'en faire l'usage que vous voudrez. Mais je vous en prie, ne mentionnez ni les noms ni les endroits car je ne veux pas d'autre gloire que celle que mon expérience m'a déjà donnée. Elle m'a fourni la preuve que le miracle existe encore. Par la grâce de Dieu, je suis un de ces miraculés.

Fred a vaincu sa tendance à l'autodestruction grâce à l'aide de Dieu et au renouvellement spirituel. Il a appris à s'appuyer sur le royaume de Dieu présent en lui à tout instant. Il est maintenant un homme heureux, un homme qui réussit.

Chaque matin, en commençant votre journée, répétez ces mots puissants: le Royaume de Dieu est en moi, avec l'aide de Dieu, je peux venir à bout de tout ce qui arrive. Quand vous savez de science certaine que vous êtes vraiment capable de faire cela, si vous êtes toujours humble, si vous travaillez et priez, si vous êtes toujours un optimiste à toute épreuve, vous serez heureux dans la vie et vous aurez du succès.

Comment réussir sa vie à l'heure que nous vivons

1. Ne vous sentez absolument pas coupable d'être heureux et de réussir si vous êtes honnête, si vous avez le sens de la responsabilité sociale.
2. Sachez aujourd'hui il n'y a pas de succès véritable sans réussir sa vie personnelle.
3. Lisez, étudiez la Bible: c'est un guide pratique pour une vie réussie.
4. Mettez l'accent sur l'importance du travail ardu, sur la ténacité dans ce travail, dans un idéal précis et dans la capacité d'en jouir. Si tout cela ne vous rend pas heureux, il y a quelque chose qui ne va pas.

5. Servez-vous de votre tête. Sans elle, vous n'atteindrez jamais votre but.
6. Gardez votre enthousiasme et aimez ce que vous faites.
7. Soyez détendu. Ne devenez pas tendu quel qu'en soit le motif, car en ce faisant vous fermez la porte à tout pouvoir créateur. Une personne détendue est une personne puissante.
8. Reposez-vous à périodes fixes et habituez-vous à sentir cette présence de Dieu, votre Créateur qui vous recrée sans cesse.
9. Représentez-vous l'image du Royaume de Dieu en vous. Voyez-vous comme le détenteur possible de la bonté de Dieu.
10. Éliminez, et ceci est très important, *éliminez* votre tendance à l'autodestruction.

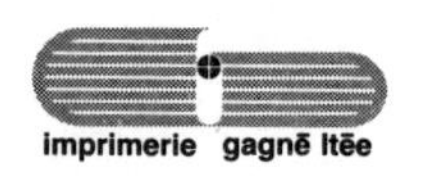
imprimerie gagné ltée

IMPRIMÉ AU CANADA